類史實系列

大營救

這是一個人人應該是英雄的年代

1942

古天農 序

前些兒跟黃獎兄閒聊的時候，他提到《大營救1942》的某些情節和創作意念。當時我已跟他說：「有趣呀！」現在拜讀了本書的原稿，即時的感覺是：「過癮呀！」

「有趣」是吸引注意；「過癮」是旅途愉快。

本小說有趣的是把武俠小說和近現代歷史拼合起來。說拼合是因為我想到英語 Juxtapose 一字。

Juxtapose 來自法文 Juxtaposer，而 Jaxta 是拉丁文，意為「一旁」。Poser 是法語動詞，即「放置」（據 ODE，Oxford Dictionary of English）。簡單例子：把黑白照片放在彩色照片一邊所產生的效果。

當然，金庸武俠小說的歷史背景很重要的是元、清兩個朝代。二月河的清代三帝系列則是歷史小說。但大家試想想，將「十八般」（書中人物別號）跟北角麗池舞廳拼合在一起會是一種什麼感覺呢？在香港，我們不易聯想「風吹草低見牛羊」，但若是「風吹草低見樓市」，又如何呢？

這便是本書有趣之處。

說到「過癮」，作者本人是個長髮超齡頑童，所以很難不過癮；十八般武藝變了一個人別號十八般，本身頑皮

得有點兒露骨。又例如書中主角是要扮成——噢，還是不要影響大家的過癮。

　　還有，本書的註解是重要而必看的，有點像 Jane Austen 的 The Annotated Pride and Prejudice，和白先勇註《紅樓夢》。

　　本序言不是什麼導讀，反而像是一次旅程的簡介。

　　祝大家旅途愉快。

古天農
中英劇團藝術總監
2017 年 6 月

邱逸博士 序

    2015 年，為紀念抗戰勝七十年，我們出版了一本關於香港老兵的口述歷史書籍：《戰鬥在香港：抗日老兵的口述故事》，在訪問之初，我們對訪問對象設下了一些要求：出身、地域、家庭、教育、工作、收入、婚姻，戰前和戰後的經歷等，從不同角度拼湊那時那地的普通人的所思所感。即使老兵們一開始都對我們問題的瑣碎非常疑惑，問及諸如對待家人的情感、對生老病死的態度、對生計的徬徨、對社區變遷的猶豫等。老兵們原來都想好了自己可以「見場面」的經歷，卻不想我們更多糾纏在枝節上。我們一一說服他們，讓他們認同我們的堅持：重建歷史變遷中普通人的歷史，考察大環境變遷和普通人生活的關係。沒有人是孤立存在的，那些看似個人生命歷程的講述，表達的卻不只是個人的苦樂辛酸，而是一個家庭、一個群體、一個時代的共同經歷和命運。

    當觀察點放低到普通人時，我們的研究極易陷入瑣碎和零散。因此，我們採用了老兵「由生至老為緯、與外部社會關係為經」的敘事方式，每個老兵都在歷史中發揮著不同的作用，社會變遷也在他們的人生歲月中留下了不同的痕跡，我們利用個體生命歷程來反映時代變化，探究歷史問題。所以，我們那本書，是要從小人物看大歷史，從一個人的成長，看其時其地的香港，從宏大的歷史背後，觀小人物的勇敢和畏懼，重新塑造過去的時空和人物的命運。

上個月，黃獎兄寄來了一本他剛完作小說，名為《大營救1942》，其書以香港淪陷前後複雜的歷史為背景，他用了一個「類史實」的概念來創作：兼顧史學的實和創作的虛，使小說與歷史共生，這本身就是難度極高的操作，但黃兄順手拈來，舉重若輕，娓娓道來，又風雲息變，真是一看忘情，欲罷不能。

　　事實上，黃兄本書的創作特色暗合了史學近年的發展。史學源遠流長，但在現代社會日益強調「技術」下，史學似乎與現代社會脫節，英國歷史學家愛德華·卡爾(Edward Hallett Carr)曾言：「（歷史）是現在和過去之間永無終止的對話。」今天，我們與歷史對話的方式，更多是一種「應用歷史」，即以現在為基點，來重構知往察來的活動，把歷史有機的重建，並加入現代人的視野。

　　黃兄的《大營救1942》是一本通俗易懂的小說，它既描繪小人物驚天動地的壯舉，也書寫平凡人星星點點的作為。本書從小人物的性格命運中發現時代變遷、風習變化、價值更迭。在我看來，本書體現香港史上唯一大戰的叱吒風雲，同時也看到平凡人經歷的扣人心弦。

　　對於有志於多了解香港史，又喜愛看小說的讀者，均不容錯過黃兄這本書。

邱逸 博士
《圍城苦戰—保衛香港十八天》
《戰鬥在香港：抗日老兵的口述故事》作者
2017年6月

葉輝 序

《一》

　　何謂「類史實小說」或「類歷史小說」？一般而言，那大概就是「另類歷史小說」（alternate history），亦有論者稱之為「架空歷史小說」，查此類小說所指的，乃描述「並非真實發生的虛構歷史」，然而，當中則可描述虛擬人物存在於真實歷史的「半架空狀態」，當然亦可描述完全虛構的歷史人物，涉及若干史實，只是作者從中或已虛構出「架空」的小說情節。

　　其實所謂「架空」，讀者大可理解為「並非真實發生的虛構背景」，所涉及的時序則包括過去及未來；而「架空歷史小說」與一般虛構小說的最大不同之處，則在於此一故事的創作背景，通常為作者突顯某些前提，諸如創作動機等等，特別是作者所虛構的或被改編的歷史，經由作者的構想所設定；而小說所記敘的，正是在此時此刻所發生的、不以超越人類常識為基準的故事，此所以小說情節往往虛中有實而又實中有虛。

　　此類創作小說與歷史有若干相涉之處，亦可稱為「新歷史主義小說」，此類小說創作的最大特點，乃不再將小說視為演繹歷史的工具，倒是作者透過創作的不同角度，對史實或向來鮮有人提及的往事，所作出不同的設想，從此表現出解構史實的想法，乃至以現代哲學思想認識史實的新觀念－－此種重新審視歷史的創作手法，於是就被稱為「新歷史主義小說」了。

話說在「新歷史主義小說」的發展初期，不少作者往往於在小說創作中，營造出一種「現在與過去」的對話狀態，從而讓作品呈現出較為明顯的虛構成份，且形成一種充滿神秘色彩「宿命感」；為了表現作者所構思的哲學觀念，往往在作品中強調由慾望所引發的偶然事件，且對人物的命運帶有極大影響，以此表述在歷史發展過程中的荒誕悖理，以及並無任何規律可言。

　　然則，何謂歷史小說？或者可舉列一些中外作家的觀點，比如日本作家菊池寬將之定義為小說「將歷史上有名的事件或人物作為題材」，而郁達夫所作出的描述顯然更為詳盡：「現在所說的歷史小說，是指由我們一般所承認的歷史中取出題材來，以歷史上著名的事件和人物為骨幹，再配以歷史背景的一類小說而言。」由此可見，歷史或史實畢竟只是創作小說的容器，作者只要不違背時代背景（或精神），內容情節的呈現真可謂千變萬化了。

　　黃獎在「類史實」小說《大營救1942》的「後記」有此一問：「類史實」可以成為小說創作嗎？他於是有此解釋：「所謂『類史實』的概念，其實就是在創作小說時，盡力保留歷史的原貌，展現歷史上的真實民生和當時的價值觀，同時兼顧小說的情節推進。我在今次的創作過程中，平衡虛和實之間的比重，盡量以不影響歷史準確性為原則，讓男主角穿插於幾項真實事件之間，希望讀者在享受情節之餘，亦可一睹歷史真貌」。

此所以黃獎在此部「類史實」小說當中，其實有不少與史實相關的註譯，從而突顯與小說有所相涉的歷史背景，比如說，此部小說所提到位於北角的「麗池餐舞廳」，此書的註釋就指出：「除了舞廳及泳池外，麗池尚有小型哥爾夫球場、射擊場、飲冰室、滑屐場及溜冰場等。淪陷期間，麗池被日軍佔用，改名『豐國海水浴場』；戰後初期，又被英國空軍徵用為娛樂場所。1946年4月或以前，麗池負責人李裁法收回泳池部份，但娛樂場仍被英國空軍徵用。」

《二》

　　事實上，讀者大可在黃獎所創作的《大營救1942》此部「類史實」小說，讀到戴望舒的《獄中題壁》，此詩所記載的乃本港在日治時期的其中一段史實：「如果我死在這裡，／朋友啊，不要悲傷，／我會永遠地生存，／在你們的心上。」「你們之中的一個死了，／在日本佔領地的牢裡，／他懷著的深深仇恨，／你們應該永遠的記憶。」「當你們回來，從泥土／掘起他傷損的肢體，／用你們勝利的歡呼／把他的靈魂高高揚起，」「然後把他的白骨放在山峰，／曝著太陽，沐著飄風：／在那暗黑潮濕的土牢，／這曾是他唯一的美夢。」

　　那當然不僅僅是一段史實，其中更涉及一段香港文學史，本港文學人對此耳熟能詳，不過，讀者即使對戴望舒

並不熟悉，也不要緊，黃獎有此註釋：「戴望舒是香港淪陷之後，遭遇最為悲壯的文化人。戴望舒未來香港之前，其實已經大有名氣。其後他去法國留學，回國後創辦《新詩》月刊。抗日初期，他逃到香港，曾經在《文匯報》及《星島日報》的副刊擔任主編。」

黃獎更在註釋中指出，「當時香港淪陷不久，日軍開始搜捕文化人，逼使他們與日本合作，對外宣傳『大東亞共榮圈』。有見及此，東江縱隊決定營救港九的文化人。不過，戴望舒決定留守香港，與香港共存亡。當時，戴望舒一家人在一間舊書店看書，日本特務破門而入，抓走戴望舒，在域多利監獄足足關了接近兩個月。後來，他的朋友葉靈鳳買通日軍，才帶他出獄，他一直堅持留在香港宣傳抗日，直到 1948 年才離開香港。」

當然，戴望舒於 1944 年三月在港還創作《過舊居》此首名詩：「這條路！我曾經走了多少回！／多少回？……過去都壓縮成一堆，／叫人不能分辨，日子是那麼相類，／同樣幸福的日子，這些孿生姊妹！」「而我的腳步為什麼又這樣累？／是否我肩上壓著苦難的年歲，／壓著沉哀，滲透到骨髓，／使我眼睛朦朧，心頭消失了光輝？」

戴望舒同年六月所創作的《示長女》一詩：「記得那些幸福的日子！／女兒，記在你幼小的心靈：／你童年點綴著海鳥的彩翎，／貝殼的珠色，潮汐的清音，／山嵐

的蒼翠，繁花的繡錦，／和愛你的父母的溫存／……／可是，女兒，這幸福是短暫的，／一霎時都被雲鎖煙埋；／你記得我們的小園臨大海，／從那裡你們一去就不再回來，／從此我對著那迢遙的天涯，／松樹下常常徘徊到暮靄。」

此一舊居正是「林泉居」了，端木蕻良與蕭紅亦去過，居名讓端木蕻良想起賀知章詩句「生人不相識，偶坐為林泉」；因此葉靈鳳在 1957 年所撰寫的悼文《望舒和災難的歲月》寫道：「從路邊到他的家裡，要經過一座橫跨小溪的石橋……所以地方十分幽靜，真是理想的詩人之家。望舒住在這裡的幾年生活，可說是他一生中最愉快最滿足的：有固定的工作和收入，有安定的生活，經常有朋友來找他談天喝茶……」

《三》

在黃獎所創作的《大營救 1942》此部「類史實」小說中，述及薩空了的《香港淪陷日記》一書，當中有註釋指出：「這段見聞取材於薩空了的著作《香港淪陷日記》，書中敘述他在 12 月 22 日，遇見已故《申報》老闆史量才的兒子，史詠賡。當時史住在跑馬地附近的藍塘道，的確有這一段經歷。不過，本故事的大小史和老張都是創作人物，和史詠賡並非同一人。」

黃獎從而在註釋中有此說法，「蕭七等天來會人馬，全都是創作人物，但觀音廟之會，卻真實發生過。所謂『歸鄉運動』，是日本人在香港淪陷期間，為了要解決香港食物和物資不足的問題，而實施的措施。在 1942 年 1 月，日軍民治部就已經成立了『歸鄉指導委員會』，半逼半哄香港居民回歸大陸。到了 1945 年，香港的人口由 1941 年的 160 萬人，急跌至 60 萬人。」

　　他又在此書的註釋中指出，「在薩空了先生撰寫的《香港淪陷日記》中，有英國政府派發槍械的記錄，也有這樣的看法：「戰前戰後糊里糊塗爛仔歹徒不知死了多少……也許有人看了敵人在對付歹徒而心裡感覺快意吧？人類是這樣愚蠢，在由這種愚蠢分子構成的社會中，如何能有真是非存在。《香港淪陷日記》內，作者也談到廣西人王紀文被綁票的事，雙方也有不少槍械，發生的地點是元朗。」

　　除此以外，黃獎在此部小說中，又引述邱逸在《戰鬥在香港：抗日老兵的口述故事》一書，說到邱逸親自訪問年屆九十二歲的巢湘玲女士，「書中詳細敘述了巢女士在抗日戰爭前後的事蹟，當然也包含她參與營救蔡楚生事件的經過。至於她跟蕭七說的一番話，其實是她向邱博士憶述的心情所說的，本書借用過來，成為了啟發蕭七的一番說話」；其實在此書中，「邱逸訪問了林珍女士，詳細敘述了林展女士被日本軍人虐打的過程。黃獎在寫這一章之前，亦探訪過林珍女士，聽她親自闡述當日的心情。」

　　於此可見，黃獎此部「類史實」小說中，亦為虛中有實而又實中有虛，歷史或史實畢竟僅為他創作小說的一個容器，當中情節總是絕不違背抗日戰爭的背景（或精神），而內容情節所呈現的每每與史實互為呼應，人物容或乃虛構的，當中所涉及本港抗日史實，此所以讀者可欣賞小說之餘，同時重溫過去的史實，或在小說創作與史實之間兼而得之；或者一如黃獎所言，此部小說盡量平衡虛與實之間的比重，以不影響歷史準確性為原則，讓人物穿插於史實與小說之間，期望讀者可一睹歷史真貌。

葉　輝
著名作家
2017 年 6 月

HONG KONG
1942

作者 自序

　　小說創作，向來有「意料之外，情理之中」的大原則，但日戰時期的港英政府抗敵策略，居然毫無邏輯地發生了，故此，史實本身就具備了「意料之外」的元素，令這故事本身就有引人入勝的素材。

　　這個創作可以面世，先要多謝三位朋友。首先，寫「三年零八個月」的概念，一開始就是由出版社的 Karson 提出的，沒有他的堅持，這本書根本不會出現。又要多謝林珍女士，有她提供的親身經歷，令我對當年的港人遭遇有更深的感受。要了解香港淪陷前後的背景，就更要多謝邱逸博士，他的兩本著作《圍城苦戰：保衛香港十八天》《戰鬥在香港：抗日老兵的口述故事》提供了極詳細的資料，他更數度親臨新城電台「潮讀 4000 年」，接受訪問，分享了專業的見解，令我對當時的港人的精神面貌，有更人性化的認識。

今次的創作，擷取東江縱隊營救滯港文化人的事跡，採取「類史實」的創作方式，盡力保留歷史的原貌。其實，在創作其間，也預先為讀者留有線索，大部分有名有姓的，都是歷史人物；那些叫老王小飛阿威的，都是虛構角色，行筆之時，在我的腦海之中，就有一幕幕真人動畫的影像，讀者很容易分辨虛實，在故事情節的起伏之間，也能看到一些歷史的痕跡。

黃　獎

2017 年 6 月

序章：
蕭七當然不是普通人

　　Jason 離開了香港 19 年，他記得，自己是最後一批在九龍城啟德機場上飛機的乘客，他當時根本沒有想過，這一走，就一直沒有再回來。當他最初去到英國的時候，總喜歡去唐人街買香港的報紙雜誌，讀到赤鱲角機場啟用的新聞，知道新機場連洗手間水渠也裝錯了，弄得一塌糊塗，他曾經跟自己說，這次移民也許是對的！不過，也不知道有多少次，午夜夢迴，總會想起這遍熟悉的土地，和外公那些永遠說不完的故事。

　　匆匆落機，Jason 有點意外，香港的機場和鐵路意外的先進，令他頗為陌生，但他的時間已經有點趕了，急忙打車，來到紅磡殯議館。

　　今天，他趕回來，其實是來參加外公的喪禮，他和外公那邊的親戚，本來就不太熟，也不知道應該跟誰打招呼。

　　一個二十來歲的年輕人走過來，主動安排 Jason 坐下，他說：「你是 Jason 表叔吧，我是 Tim，是你的表姪，你不認得我的，你移民的時候，我只有幾歲大。」

Jason 看一看靈堂的環境，發現已經有不少人到了，便說：「外公真的認識很多人，都是他生意上的朋友嗎？」

Tim 笑說：「太爺生意朋友不多了，他開假髮廠的朋友應該沒有聯絡呐。」

Jason 說：「外公不是在蘭桂坊開了家酒吧的嗎？」

Tim 說：「這個我也聽說過，但不是在你移民之前已經賣了嗎？」

忽然，坐在旁邊，一個頗為壯碩的光頭老人答口，道：「那家酒吧嗎？1990 年已經賣了，那時的蘭桂坊還未曾旺起來。」

Tim 跟那老人說：「你是威爺爺嗎？我幾年前見過你的。」

威爺爺說：「我認得你們，你們都是蕭大哥的孫嘛！」

Jason 真的不認得這個威爺爺，只好隨便打個招呼。

威爺爺一臉嚴肅的說：「蕭大哥當日帶著我們出生入死，劫過日本人的監獄，搶過日本人的地盤，那可真是英雄氣慨！不過，你們也沒法聽得懂，說起來，已經是七十年前的事了，那年頭，是穿長衫搭火車的年代，連我自己回想當日的情景，也分不清那是時裝抑或是古裝的戲碼。」

Tim 笑說：「不就是太爺口中的打日本仔年代嘛！他常說的，三年零八個月時，他當過兵嘛。還說什麼飛刀比槍有用，都是他常說的故事。」

威爺爺認真的說：「那是蕭大哥的結拜兄弟，啞刀子的飛刀，會拐彎的，當然比槍厲害了。可惜啞大哥死得早，我們沒有一個學得會。」

Jason 隱約記得一些，便道：「不是說子彈會轉彎嗎？不過，飛刀好像靠譜一點。」

威爺爺說：「你以為那是故事情節嗎？那是千真萬確，我親眼目睹的。」

Jason 說：「我以為外公做生意厲害，沒想到還是武林高手，就沒有見過他練武功。」

威爺爺悄聲說：「我們的功夫，是小時候在山上練來的，那時我們做土匪的，靠這個吃飯，後來大家有飯吃，就沒有再練了。」

Tim 興奮的問：「太爺做過山賊？他不是說在深水埗當扒手嗎？」

Jason 想了想，說：「好像是這樣的，他 1941 年之前是賊，之後做了軍人，打完仗之後去了當警察，但和英國人上司鬧翻了，又去了當扒手……」

忽然有個老奶奶在笑，說：「阿蕭未當扒手之前，還在舞廳當領班。」

Jason 馬上說：「怪不得，外公對香港的歡場掌故，總是知道得那麼多，說那些塘西風月……」

老奶奶笑得眼也瞇起來：「什麼塘西風月？石塘咀那些是塵年歷史吶，我們還未曾老到那個地步。我們是麗池歌舞廳的年代，摩登很多，前後相差十多年。」

Tim 說：「麗池……我知道，是《野玫瑰之戀》，焦媛演的那個戲！」

老奶奶說：「那是葛蘭演的，1960 年，他們拍戲前，還找我和你太爺做過訪問。假使他們早十年開拍，說不定我就是那女主角了。」

威爺爺看了很久，忽然說：「你是大邱仰或小邱？」

老奶奶居然嬌笑起來，道：「人都老了，還小邱嗎？你也真好眼力，竟然把我認出來了。」

威爺爺笑說：「你一笑我就認出來了，想當年，你們兩姐妹最喜歡聽大哥說故事。」

Jason 黯然說：「我小時候也是最喜歡聽外公說故事，可惜以後也聽不到了。」

老奶奶有點愕然，問道：「為什麼聽不到？」

威爺爺也問：「我們不正是來聽的嗎？」

Tim、威爺爺、老奶奶一起恍然大悟，道：「原來你以為他真的死了！不是的，今天其實是他自己為自己辦的喪禮！」

Tim 說：「太爺很潮的，人家九十歲就擺壽宴，他就偏偏要搞這個。他說自己年紀大，參加了許多朋友的喪禮，尤其是去年張爺爺過世，在喪禮上，悼詞中都居然沒有提到自己最英雄的事蹟，所以，要趁自己在生，親自讓大家認識真正的他。」

這時候，小廳已經坐滿了，一個身材不高，略為瘦削，精神飽滿的老人家，身穿一襲黑得發亮的禮服，站了在台上，跟大家說：「大家好，我是蕭七。」

蕭七
2017 年 6 月

目錄

第一部分

師父的算盤，山上的風波

大營救
1942

第一章：一班體面的強盜

你們怎也想不到，我的故事，是從「麗池餐舞廳」**（註1.1）** 開始的。那年，我才十五歲，無名無姓，因為師父姓蕭，大家便叫我「蕭七」，可以跟師父姓，我也覺得好像跟他親近一些。雖然跟著師父蕭老大，又算是見過不少世面，但其他人懾於我們大帽山「天來寨」的威名，從來都不敢正面挑戰，所以，在這一天之前，我連槍柄都沒有摸過。

我還記得，那天剛剛過了立冬，在 1941 年，11 月的香港也開始冷了，我們幾師兄弟，雖然都換了寒衣，但總喜歡捲起袖子翻開衣領，好顯示自己不怕冷的樣子。不過特別是這天，師父吩咐我們要「企理」一些，所以大家穿得份外斯文。

我們又車又船的，折騰了半天，好不容易去到北角，一路過來，五個師兄都笑得古裡古怪的，非常雀躍，我不斷問他們：「有什麼開心事情？為什麼六姐沒有一起同行？」他們卻叫我自己去問師父，但我每次見到師父那雙銅鈴似的大眼和那把大鬍子，就不敢多問什麼了。同行的還有比我小半歲的「啞刀子」，這個兔崽子整天只懂得坐著發呆，問他也是白問。

我平時和三師兄「鬼鞭」比較談得攏，便又問他：「我們就這樣走過去嗎？我知道這邊有種電車，自動會走路的，師父會帶我們乘電車嗎？」

三師兄說：「剛才在船上坐了廿分鐘，還未坐夠麼？電車的三等位也要3仙一個人，我們八個人就是兩毫四，你猜師父會不會讓我們乘電車？」他這樣說，我們也只好跟著走。

走路到北角英皇道，三師兄拉著我和啞刀子說：「我們一會兒去那個叫麗池的餐舞廳，見的都是大人物，你倆跟在師父後面，別多話，免得失禮人。聽說裡面一晚花費便差不多五六十元。」說到這裡，他才醒起啞刀子是啞的，便又對著我說：「我是在跟你說的，平時嬉皮笑臉的，今天要檢點一些。聽說那舞廳才開了1年左右，一會可能見到一些漂亮姑娘，千萬不要大驚小怪！」

「有漂亮姑娘嗎？」我忍不住問：「什麼是餐舞廳？我們又不懂跳舞。」我更不明白的是，平時大家都喜歡繞著六姐團團轉的，今天六姐沒來，大家有什麼好高興的？六姐

第一章：一班體面的強盜

是師父的親女兒，有好東西又怎麼會不帶她來？

三師兄沒說話，我又問道：「你以前去過餐舞廳嗎？什麼時候去的？很多吃的嗎？怎地要萬水千山的過去？」

他不耐煩，便道：「你自己問師父去吧！」

每次都是這樣的，多問兩句，他便叫我去問師父，明知我不夠膽去問的。

一進去歌舞廳，就明白為什麼師兄們那麼高興了，這兒雖然燈光不明亮，小台上那唱歌的更有點吵耳〔我又不懂她在唱些什麼〕，但在這兒穿梭往來的姑娘們又的確和我們那幾條村不同，我後來才知道這喚作「化妝」。我們山寨來的小伙子，沒有見過嘛！

幾個穿洋裝的傢伙出來迎接我們，然後領我們去到一間廂房。所謂廂房，其實是由幾扇屏風圍起來的一個小房子，

一邊敞開，方便看到台上面的唱歌女郎。在小廂房中，早就有四個中年男人坐著，三個穿洋裝的，斯文和氣的模樣，不知是商人抑或文人；穿唐裝那漢子卻雙目含威，一看便知道是會家子，只不知手底下的功夫如何。

他們很殷勤地招呼師父和五位師兄坐下來，我和啞刀子就站在師父背後，排場上，師父當然要有兩個小廝當跟班才像樣。

其中一個穿灰外套的男人，自稱姓張，不斷勸酒招呼，師父和師兄們也隨意吃喝，似乎也沒有什麼特別。只是，這個張先生不斷在說大陸的戰事，似乎日本人在大陸的確十分猖狂。

張先生說到緊張處，旁邊的史先生插口說：「蕭大哥，我史某人兩兄弟在惠州梅州一帶做了十幾年生意，本來也無意多事，但實在無法忍受這班日本軍，所以逃難來到香港，但日本軍和這裡只是一河之隔，我們也不能不早作準備。而且，有報導說他們已經打到深圳河了。」

第一章：一班體面的強盜

師父說：「這兒是英國人管治的地方，日本軍隊沒理由打過來的，政府已經一早表態說是中立啦。而且，他們縱然要來，我們山上兄弟，人人都有兩手絕活，保管他們吃不完兜著走。」師父說話就是喜歡這樣，毫無表情，有氣勢而沒任何語調，但往往就是這樣把敵人唬住，我親眼見過有幾個道上的好漢，見到師父之後，說了幾句就槍也不敢開，投降了。當然，我後來才知道他們只有兩柄槍，真的開打，也沒可能敵得過我們。

第三個穿洋裝的也姓史，大概是另一個姓史的弟弟吧，提起日本人，似乎猶有餘悸，這時便道：「蕭大哥，你有所不知了，日本軍隊的火力猛，殺人不眨眼的，要不是有崔師傅護送，我和哥哥根本逃不出來。之前的羅富國港督辭職後，接任的那個楊慕琦港督才履新不到幾個月。」

那個穿唐裝的漢子就是崔師傅，這人一直都沒有說話，一副莫測高深的模樣。師父便說：「這位崔師傅想必身手不凡，難得的見義勇為，未請教是哪一路的宗師。」

姓崔的沒有答話，小史搶著答道：「我們這位崔大哥

不喜歡說話，他可是少林俗家弟子的後人，他父親和叔父都當過鏢師，走遍大江南北。」

姓崔的這時才說話：「那是上一代的舊事了，現在面對的，是日本鬼子的槍炮，打起來，什麼拳法腿功都不管用。」他的塊頭大，嗓門卻很低沉，就像說不出聲音來似的，怪不得不喜歡說話。

小史搶著又說：「崔師傅太謙了，我們過來的時候，也真的碰到兩個日本鬼子，那一遭可真驚險了，他們長槍上還有尖刀，根本就是來謀財害命的，崔師傅一出手，馬上把對方放倒了，鬼子還未來得及開槍。」

師父也說：「說得好，我們無需妄自菲薄，有槍便跟他們比槍，沒槍也有沒槍的打法。」

張先生便說：「就是嘛，我們知道蕭大哥『天來寨』個個英雄了得，又熟悉新界西北人脈地理，便在想，如果由天來寨羣雄來守護，便不怕日寇南下了。」

第一章：一班體面的強盜

千穿萬穿，馬屁不穿，他們這樣抬舉我們，我就知道師父必定暗中高興，但打仗嘛，那是另一回事啊！

果然，師父笑著說：「大家抬舉了，蕭某也敢說一聲，日本鬼子如果敢來犯『天來寨』，必然叫他好看。不過，這兒是英國人管治的地方，行軍打仗，可不是我們的工作，而且，道上的朋友人多口雜，惹人非議，如果我們出來說要組織民兵，大埔那邊的黃慕容，第一個就出來說話了。」

張先生便說：「我們也聽說過，九龍新界雖然有各路人馬，但論實力，就數西蕭東黃兩家最強，所以，就想約您們兩家出來，共襄義舉……」

「姓黃的也來了？」師父一聽黃慕容那邊的事，連額頭的皺紋也繃緊了，我站在後面，也看得出來。一時間，五個師兄也緊張起來了，腰板登得直直的，反而把對方嚇了一跳。

張先生趕忙賠笑說：「沒有沒有，我們先聯絡上蕭大哥，未得您同意，哪會私下連繫對方？這點規矩，我們也是懂的。」

　　小史這時卻說：「我看蕭大哥幾位高足，個個少年英雄，若和黃家寨比較，不知高下如何？」

　　大史連忙喝住他，道：「豈可無禮！」然後對我們說：「舍弟不懂說話，蕭大哥千萬莫怪。」

　　姓史的兩兄弟分明來一唱一和，考量我們的實力，師父哪會不明白，便說：「十八，不如你出來，和這位崔師傅走兩招，讓大家指導指導。」

　　大師兄叫「十八般」，當然精通各種兵器，厲害的是，任何物料，到了他的手中，都可以變成武器。只見他一手舉起剛剛坐著的椅子，在兩臂之間舞動，一張椅子就成為了一件奇門武器，椅背封、攔、遮、截，四條椅腳挑、鎖、勾、戳，攻守有道，的確是神乎其技。

　　大師兄連續耍了四、五個套路，姓張和姓史的似乎未看出什麼頭緒，姓崔的卻知道厲害，坐在位子上紋風不動。

　　那個張先生大概以為這是雜耍，賠笑著來搭大師兄的

第一章：一班體面的強盜

膊頭。大師兄手腕一轉，一枚椅腳戳了他手肘一記，另一枚椅腳便勾著他的手臂，鎖到他背後，我相信張先生還未弄清是什麼一回事，就給椅子壓著，單膝跪在地上，口中大呼：「痛！痛！」

大師兄當然馬上就放了他，姓崔的也不好意思老是坐在原位，便緩步出來，擺開架式，打了一套拳法，大開大合的，倒也是拳風虎虎的，只見他轉了幾個馬步，便去到屏風門前，剛好這時舞台上的表演停了，沒有音樂，其他客人見這邊有人表演拳法，紛紛拍掌喝采。

沒辦法，一般人眼中，看不懂竅門，自然覺得這種拳法是真功夫。

這一來，大師兄下不了台，惟有挺椅追擊。老實說，姓崔的憑那兩手直來直往的拳法，又怎敵大師兄那手千變萬化的奇招？才兩個回合，給大師兄一路進迫，就迫退了三、四十呎，左支右絀，剛剛退到舞台前面，被一張椅子絆倒，一交跌倒地上。

　　大師兄見好就收，馬上收招，把椅子放在地上，和剛才絆倒崔師傅的椅子放在一起，一看這個架式，我便知道二師兄要出動了。

　　果然，人影一動，二師兄快步來到台前，把兩張椅子背對背放好，他自己雙手按著兩個椅背，整個人就在椅背上翻騰起來，只見他來回盤旋，煞是好看。這路功夫，其實是他的看家本領，我見他盤旋往返，還不忘偷空往場中瞟，看有沒有漂亮姑娘在圍觀。

　　兩個史先生讚嘆道：「這個是輕功嗎？」

　　師父微笑說：「我二徒弟小飛，兼練了一些輕身功夫，也沒什麼。」他頓了一頓，又說：「老三，你也落場玩玩。」

　　三師兄叫「鬼鞭」，那手長鞭功夫當然了得。我和啞刀子馬上點起四根蠟燭，現場沒有燭檯，我們便把蠟燭安置在四張椅背之上，然後放到舞台的兩邊，遙遙相對。

　　「呼嗖」一聲，三師兄就把纏在腰上的長鞭祭出，在

第一章：一班體面的強盜

身前身後盤旋了幾個鞭花，跟著便是「鞭風滅燭」，嚓嚓嚓嚓迴響，一鞭打熄一枝蠟燭，絕不含糊。

師父又說：「老三這手鞭法，也算是盡得我的真傳了，鬼子槍炮當然厲害，但在二十呎距離之內，未必快得過老三的鞭。」

隔壁屏風有幾個漢子也走了過來湊熱鬧，為首一人個子高高的，二十來歲，頭戴一頂窄邊帽子，穿一衣杏色洋服，很時髦的模樣，一邊微笑一邊拍掌，好像很有學識似的。他很有風度地說：「幾位大哥身懷絕技，隱身江湖，似乎埋沒了一身好武功了。」

師父見人家來路不明，當然不會胡亂亮出「天來寨」的名號，只隨便回答：「鄉下人，練些家傳武藝，健體防身罷了。」

高個子打量了我們一遍，卻說：「看這兒五位大哥的身手，除了天來寨五虎將，哪裡還有這樣的人才？蕭老英雄不必過謙。」

　　人家居然憑三個師兄的功夫，便叫得出我們的名號，似乎不是等閒人物，雖然師父有八個徒弟，但出名的永遠只是前五個。六姐是女兒家，雖然也有武功，但極少出來做買賣，我的功夫嘛，永遠都是個秘密。

　　師父便說：「先生好眼力，未請教是哪路高人？」

　　高個子卻說：「末學後輩，尚未闖出名堂，說出來大家也不知道。」這傢伙看起來相貌堂堂，說話卻像戲曲中的念白，文縐縐的，很不自然。

　　師父也打量了對方一會，說道：「先生身旁幾位，似乎都是學武之人，不如也露兩手，讓我們開開眼界。」我想，師父是想看看他們的家數，估量他們的來歷。

　　高個子打了一個手勢，他旁邊一個瘦削漢子拿出一個長形匣子，一打開來，原來是一長一短兩柄刀子，瘦漢子恭恭敬敬的擎起那短刀，虛空劈了幾下，似乎也是些快狠準的套路，我在想，如果他這幾刀向我劈來，我最少也有八套招式去應付，也不見得有什麼看頭。

第一章：一班體面的強盜

　　瘦漢見大家不懂欣賞，便再次拔出短刀，緩步來到台前，剛才二師兄表演輕功的兩張椅子那兒，只見他忽然矮身衝前兩步，短刀揮出，也沒看清楚出了多少招，然後回身踢出兩腳，兩張椅子的上半部份給他踢飛，原來他那幾刀早已劈斷了八條椅腳，只因落刀太快，所以兩張椅子沒有即時碎裂。這時，我才醒覺，我剛才以為可以應付的八套招式，有六套並不管用，如果真的和他打起來，選錯了招式，可真不堪設想。

　　我還在想著，四師兄就大步走到場中，一邊走一邊把上衣脫掉，然後恭恭敬敬的摺好放在一旁，那表情就和瘦漢取刀時一模一樣，引得哄堂大笑。

　　四師兄趁大家笑的時候，深吸了一口氣，只見他上身每一塊肌肉都脹大起來，然後也不說話，伸手指了指瘦漢，又指了指自己的胸膛，示意對方劈他一刀。

　　那瘦漢敢情是氣他剛才恥笑自己，居然真的一刀劈了過去。老實說，四師兄的神打功是他帶藝投師的絕活，刀劍難傷，連師父也不懂得，對方這一刀當然劈不進去，師兄臉上還是笑嘻嘻的，毫無痛楚表情。

這一來，瘦漢面子掛不下去，也認真起來，只見他神色凝重，雙手持刀，慢慢的高舉過頂，忽然一聲斷喝，短刀在肉眼難辨的速度下劈了下去，四師兄面上依然是那副滿不在乎的表情，應該還是接下來了，但我見他左腳退了一步，這個可有點不尋常了，在山上，我們經常練這個時，就從來沒見他退過半步。

忽聽二師兄悄聲問：「四刀嗎？」

大師兄也低聲道：「好像有五刀。」

師父沒有作聲，卻偷偷豎起四根手指。嘩靠，他出了四刀嗎？怎麼我只看到三刀？看來我剛才以為有用的兩個招式也是應付不來的了。

瘦漢盡全力也劈不進四師兄的胸膛，一張臉紅得發紫，氣沖沖的走回來，要去拔長匣子裡的長刀。這時，那高個子忽然說話了：「柳生，天來峯四俠銅皮鐵骨，出了名的刀槍不入，我們總算是領教過吶。」

第一章：一班體面的強盜

「日本人？」張先生和大小史霍然站起。為什麼是日本人呢？我心中想，他不是姓柳的嗎？

高個子身旁一個戴眼鏡的矮子，和和氣氣的來打圓場，說：「我們東條少爺禮賢下士，最喜歡結交各方英雄豪傑，從不擺我們大日本帝國的架子，今天來到這裡，只是結交朋友，大家無須緊張。」

他口裡說得輕鬆，我們剛才在談招兵抗日嘛，也不知道有沒有給他們聽了去，怎可能不緊張？還是師父見慣風浪，這時便說：「東條先生，貴友的刀法的確精純，我們這個徒弟受了幾刀，僥倖沒有受傷，不如就此作罷，免傷和氣。」

東條卻說：「我聽說天來峯有五虎將，剛才見過四虎的絕活，聞名不如見面，也知道五虎外號霹靂火，卻未知有什麼神功絕學，好讓我們長些見識。」

這下可忍不住了，我笑問五師兄：「五哥，你何時改了個名號叫霹靂火，可威風得厲害呐！」

　　五哥摸了摸自己的胖肚子，只一味的傻笑，也不知應該怎樣回答。師父卻說：「這個徒弟的功夫易發難收，平時我也很少讓他出手的，江湖上的確沒多少人見過。」

　　東條還想堅持，張先生忍不住說：「蕭老英雄是我們的客人，我們本來還有些正事商議，並不是來表演武功的，今天就到此為止了吧。」

可公開的情報

註 1.1：位於北角的麗池餐舞廳昔日是七姊妹泳灘之所在，附近是一個甚受歡迎的沙灘，每逢夏日，不論男女老少均喜歡在該處享受陽光。麗池餐舞廳於 1940 年 8 月 28 日開幕並有兩幢建築，一幢是主樓餐舞廳，一幢是職員宿舍。除了舞廳及泳池外，麗池尚有小型哥爾夫球場、射擊場、飲冰室、滑屐場及溜冰場等。淪陷期間，麗池被日軍佔用，改名「豐國海水浴場」；戰後初期，又被英國空軍徵用為娛樂場所。1946 年 4 月或以前，麗池負責人李裁法收回泳池部份，但娛樂場仍被英國空軍徵用。

許可

第二章：沒有武功的一代宗師

張先生幾句話想打發東條，也不知會否繼續談他們的計劃。

東條卻說：「大家不必要太緊張，我雖然是日本人，但今天大家在香港，其實你我都是在受英國人的壓迫，大家不要誤會我們的目標，要知道，我們一直在奮鬥，只是希望解放亞洲各國的殖民地，不再受洋人的迫害，讓亞洲人自己來管理亞洲國家。」

他這樣說，我又有點迷惘了，我們叫他們日本鬼子，因為他們在跟中國打仗，又叫洋人作洋鬼子，究竟洋鬼子和日本鬼子，哪一方鬼多一些？亞洲人管亞洲人，聽起來是不是合理一些？

張先生和大小史忍不住站出來和他對罵，老實說，我根本聽不懂他們在說些什麼道理，只見大小史愈罵愈激動，那個東條卻一點不在乎，繼續說他那套什麼共榮計劃，光看雙方說話的樣子，就似乎東條那邊比較斯文有理，我們這邊反而像是在潑婦罵街。

　　東條忽然問道：「英國人管香港，稱這裡為殖民地，說穿了就是他們自己高人一等，你們怎麼容忍的。」

　　張答不上來，靜了好一會，我在看師父，看我們是否應該出面，趕這幫日本人走，但師父不知道在想什麼，依然沒有表示。小史忍不住吼道：「這是清政府留下來的尾巴，可不是我們的責任。」

　　忽然，一把頗清朗的聲音響起：「歷史有歷史的包袱，但日本人來解放我們之後，是用亞洲中的日本人來管亞洲中的其他人，這面旗幟又的確掩蓋不了你們的野心。」

　　我循聲看去，原來是一個蓄小鬍子的中年男人，眉宇間頗有英氣，一看便知道不是一般俗人，我望一望其他師兄，大家似乎也不認識他。張先生卻快步迎了上去，一邊道：「原來是沈兄到了，這些日本人滿嘴歪理，要請沈兄出手教訓教訓！」

　　東條卻說：「我說的句句實言，怎會是歪理？你們當英國人是老闆，人家可沒當你是一回事，你沒知道嗎？英國

45

第二章：沒有武功的一代宗師

政府怕了亞洲人的軍隊，去年偷偷地撤走歐籍婦孺，半年間送走了三千多人去澳洲，如果他們有決心保衛香港，就不會有這樣的措施。」

小鬍子朗聲道：「英國人不可靠，但也愛面子講規矩，不幹姦淫虜掠的事，日本軍自稱東亞共榮，你們會在自己地方幹下這些獸行嗎？你們在國內殺人放火，那是怎樣的共榮了？英國人撤走自己的婦孺，其實就是因為他們也怕了這種暴行！」

東條繼續說：「香港之所以落在英國人手中，還不是因為亞洲人不團結？當時林則徐為國為民，燒了鴉片，反而遭誣陷獲罪，革職流放，後來香港才割讓給英國人，說到底，還不是被洋人欺負？我們亞洲人團結，有強勢的領導，大家才有好日子，只呈口舌之利，徒然自身吃虧。」

小鬍子道：「林則徐公正是我們的英雄榜樣！他被革職至今，剛好一百年，當日他無辜受罰，心情當然不忿，他在那時寫了一首詩，你有讀過嗎？」

東條也是好奇，問道：「他是罵英國人，抑或清政府不公平？」

小鬍子說：「他沒有罵人，詩中有兩句這樣說『苟利國家生死以，豈因禍福避趨之』，你聽聽，這就是中國人的氣節，不是你那種愛便宜怕吃虧的思維，本來就道不同，何必爭論？」

東條望著那小鬍子，沉吟了一會，突然想起來了，抬腿便道：「姓沈的？……是沈雁冰先生到了嗎？怪不得有這樣的風采，小弟一直仰慕先生的文采，今日得以一見，不亦快哉！」

我悄悄問三師兄：「沈雁冰先生是誰？好像很有來頭！」

三師兄當然不知道，另外幾個師兄的表情，好像都會說話似的，統統在跟我說：「不要來問我，我不知道答案。」這時候，我又發現四師兄的面色很蒼白，似乎剛才那個柳生的刀，的確不容易捱，吃了點暗虧。

第二章：沒有武功的一代宗師

　　再看現場，東條很是親熱的去招呼那個沈雁冰先生，居然拿起酒杯去敬酒，沈雁冰卻沒賣他的帳，道：「這個酒，我喝不下。」

　　「今日一見，是天大的緣份，當可浮一大白！」東條沒理沈雁冰，自顧喝了自己那杯，又道：「先飲為敬！」

　　沈雁冰依然沒接那杯酒，道：「東洋的酒，沾了血腥，我今天吃素，喝不下。我今天走出來，只是不想你的言論蠱惑我們的同胞。」他說完了話，也不理東條，就自顧自過來我們這桌上，自己倒了一杯酒，跟我們說：「乾了！」

　　東條身旁那個戴眼鏡的矮子，明顯是個跟班，這時大怒走過來，要拉沈雁冰的衣領。崔師傅伸手一格，把他打發過去了，會家子的，一出手就知道有與無，崔師傅橋手硬朗，矮子和沈雁冰卻明顯地沒有練過武功。

　　我剛剛在想，我們這麼多人在，東條只有幾個人，憑什麼撒野；哪想到，崔師傅的橋手尚未收回來，卻給另外一個人勾住了衣袖，崔師傅伸另一隻手去推，不知如何，又給

那人拉住衣領，我尚未知道是什麼回事，崔師傅就已經被摔了出去。

「摔跤？」三師兄叫了出來。「是沾衣十八跌！」二師兄卻這樣說。小史卻悄聲跟我們說：「這是柔術，是日本人的武功。」

崔師傅好容易才爬起來，連忙擺好架式，又和那人鬥在一起，我這時才看清楚，那人中等身材，生了一雙粗眉大眼，很是凶狠的樣子。我本以為崔師傅的硬橋硬馬，最是穩當，豈知兩個回合又給人家摔倒地上。

沈雁冰馬上道：「這位大哥好意為我解圍，卻給我連累了，東條先生，我們今天就此作罷，如何？」

東條卻說：「我們和這位師傅無仇無怨，當然不會為難他，不過，相請不如偶遇，今日想請先生到舍下小住數天。」

沈雁冰卻說：「中原多的是英雄好漢，在座就有一班

49

第二章：沒有武功的一代宗師

奇人異士，豈容你們威脅？」

我和啞刀子正想站出來喝個采，加強一點氣勢，不過，師父依然是毫無表情，不知道他在想些什麼？

這時候，大史繞了過來，低聲和師父說：「這位沈雁冰先生，是我國文化界的一代宗師，他撰寫的文章，鼓勵全國團結抗日，很有影響力，我們好歹要救他一救！」師父聽了後沒有什麼反應。

大史又附耳悄悄和師父說了幾句話，師父搖了搖頭，大史再說了兩句，師父滿意地笑了笑，然後拉我和啞刀子兩人，吩咐了往後的行動。再看場中的情況，崔師傅已經第四次被摔，似乎已經爬不起來了。

師父朗聲說道：「東條先生，剛才不是輪到我的五徒弟表演麼？不知道先生還有興緻嗎？」師父說話的時候，我和啞刀子就各自行動了。

東條本來還在糾纏沈雁冰，見師父出頭了，大概也忌

憚我們這邊多硬手，便說：「你看我多冒失，見到沈先生便得意忘形，多有得罪！沈先生，你不如就來我這邊廂座，好好欣賞天來峯五虎的神功！」

師父笑著說：「東條先生，你有所不知了，我這個五徒弟的功夫，使將出來，佔的地方很多，這些屏風都要撤了，才顯得出威力，你就先上座，讓我們好好佈置。」師父一邊說，四個師兄就出手拆屏風，搬桌子，一番折騰之後，東條和他帶來的五個手下一起被隔開到舞台的另一邊，坐在一旁，沈雁冰和崔師傅已經被師兄們接了過來，和大家坐到一起。

也不待東條他們反應，五師兄已經站在場中，我們也不知道他有「霹靂火」這個名號，平時只是叫他胖子，他的功夫也是我們之中最不濟的，但就是有一記絕招，很嚇唬人的。

他手持一柄燭台，在場中繞了一匝，忽然一頓足，往燭台噴了一口火水，一條火炷像火龍似的張牙舞爪地撲出。我知道他口袋裡總有幾瓶火水，這個表演直來直去，然後他會扭頭噴出一個火圈，跟著沖天而起一條火炷，煞是好看，而我，也趁這個時候，混進人堆裡執行任務。

第二章：沒有武功的一代宗師

五師兄表演完了，沈雁冰隨張先生和史家兄弟一起走了，東條也有警覺，馬上就要率眾過來。混亂中，他們一時間未知道人家走了，師父忽然迎面向東條叫道：「除了老五之外，我還有一個小徒弟，功夫也不錯，請先生指教！」

東條有點著急了，高聲答道：「沈先生還在嗎？我現在沒時間看了！」

他話未說完，忽然頭頂一涼，那頂窄邊帽不見了，電光火石之間，聽見「奪」的一聲，原來被一柄飛刀釘住在他身後十呎的柱子上。我當然知道這是老八「啞刀子」出手了，他的飛刀術，比我們所有人都強，難就難在他不僅刀快，而且和他的人一樣，完全不帶半點聲響。

「保護少爺！」柳生和另外三個漢子衝了上來，三個漢子這時伸手去懷中取手槍，卻統統摸了個空。這個當然了，師父安排給我的任務，就是去偷他們的手槍，老實說，師門的絕活我件件沒學好，最精通的卻是這門空空妙手之術，當大家在看五師兄噴火的時候，我已偷了三柄手槍回來，那矮子身上沒有武器，柳生功夫太強我不敢向他出手，現在看起

來，他似乎沒帶槍在身。

師父這時才笑著說：「東條先生，我這個小徒弟表演的，正是這一手飛刀功夫，你別小覷他的小小年紀，這一手飛刀百發百中，擔保不會叫你受到絲毫傷害！」

東條嚇了一跳，卻還想再去追沈雁冰，便道：「蕭師傅的徒兒果然了得，希望可以把沈雁冰先生交還給我！」

「沈雁冰先生？他剛才不是在看表演麼？現在哪裡去了？」師父說。

東條見師父裝傻，也沒有辦法，便叫手下去追。我便在這時大聲叫嚷道：「誰人掉了錢包？」

餐舞廳上馬上混亂起來了，無他，我剛才偷搶之時，順便又扒走了八個錢包，我這時一嚷開來，各人自己會去看自己的錢包，一發現自己的錢包不見了，自然就慌亂起來。

人一亂，東條那邊幾個人一時三刻過不來了，我們便趁機撤退。說到底，我們在山裡行走慣了，來到這兒就更是

第二章：沒有武功的一代宗師

行動快捷，待得東條擺脫人羣，跑到樓下來，師父他們早已
走遠了。我留下來偵察，看見東條出來之後，又鬧了好一會
才集合他的隨從，又弄不清楚我們離開的方向，最後倖倖然
的折返餐舞廳。最後，我才沿約定路線追上師父大隊。

第三章：敵我懸殊的槍戰

在從北角回九龍的船上，師兄們都很興奮，可以和日本人打一仗，雖然沒有真的打起來，大家都覺得自己成為了英雄。說起來，四哥揸刀可真的吃了虧。

「要是他再來一刀，我可不幹了，最後那一記，連神打功也幾乎給打散了。」四哥口裡埋怨，其實還是笑嘻嘻的，也不知道他是天性樂觀抑或是個傻子。

二哥卻說：「給他們一鬧，大家也沒法子留下來玩，又不知道要什麼時候才有機會再去，剛才我看見很多姑娘都特別標緻。」

三哥一邊在把長鞭纏好，一邊說：「我們也算有收獲，小七摸了三柄槍回來，我們正缺這種瀟灑的貼身短槍。」

說罷，他拿了一柄短槍出來比劃，擺了幾個準備開槍的動作，然後說：「你們看，我是不是像劉黑仔一樣？」

劉黑仔是個很有名的神槍手，聽說年紀跟我們差不多，在大陸近來殺了許多日本兵，我們常常聽人家說他的故事，

愈聽愈崇拜。在山上的時候，常常哀求師父讓我們練槍法，但我們的槍不多，又不捨得浪費子彈，所以沒得認真的練，私下我們常發白日夢，說總有一天去當軍人，就可以有無限量的子彈給練槍了。當然，這些想法都不可以給師父知道，否則，可不是罵一頓就可以了事。**（註 3.1）**

大師兄卻說：「三柄槍是意外收穫，師父賺那筆才是正經，師父，可以讓大家開開眼界麼？」

師父很得意地一笑，在懷中掏出一疊鈔票，說道：「那姓史的也爽快，我說要多少，他就馬上給多少，毫不含糊。」

我終於忍不住問道：「我們是收了錢才出手的？」

大師兄道：「這個當然吶，要不然，為什麼要去開罪日本人？」

師父摸了摸自己的鬍子，卻道：「這也不一定，我們還指望姓史的籌錢，給我們保護費，要是他兩兄弟在我眼皮子底下出了事，這張長期飯票就沒指望了。」

第三章：敵我懸殊的槍戰

大師兄說：「這幫北方人可真的是大疊大疊鈔票運過來的，不賺白不賺，要是守在山上面，收那些圍村的貢金，也真不夠味兒。」

二師兄卻說：「不過，他們付錢，是要我們去打仗，即是說，收了錢卻要用來買槍炮，那可不像我們平日的生計，只賺不賠。你聽那姓史的說，日本人的槍炮火力猛，若然真的開打，也不是沒有風險的。」

師兄們就開始爭辯了，二師兄怕死，我相信，正是因為這個原因，他的輕功才會練得那麼好。三師兄最興奮，說到要買槍打日本人，他就覺得自己有機會成為下一個劉黑仔。以前四師兄，恃著神打功刀槍不入，最喜歡鬧事，今天可能因為吃了個虧，居然站在二師兄那邊，變了保守派。五師兄本來就是個土包子，聽了這邊說得精彩就幫這邊，聽了那頭說多兩句又幫那頭了。

奇怪的是，大師兄一向貪錢，這時卻沒怎麼開聲。我只想，如果六姐在，她就一定可以說出一個道理來，往時都是她最有見識。我自己就是奇怪，如果日本人真的來了，我

們不打也得打，其實也沒有什麼好爭辯的嘛！

　　豈料，師父竟然說：「這兒是英國人的地方，日本鬼子不會來的，即使他們來了，我們在山上，也不一定遇得上。我們收了錢，隨便買幾柄槍應付一下，便成了，只賺不賠。」

　　真的嗎？日本人如果真的來到，我們可以置身事外嗎？像是剛才那一幕，如果姓史的不付錢，師父似乎真的會坐在那兒不作聲，跟著會怎樣？我開始不敢想下去，又不敢說出我的想法。我看了看啞刀子，原來他也是在看著我，眼神一般的疑惑。

　　說了老半天，其實也沒有結論，一切都是師父說了算。沒多久，船靠岸了，我們從九龍城登岸回山寨，先要找地方待一晚，這個，大師兄早就打點好了，我們根本不用操心。

　　我和師父剛上岸，啞刀子和四哥還在後頭，忽然聽見一陣震天亂響的槍聲，尚未弄清楚是什麼事情，就看見二師兄慘叫著倒地，三師兄反應快，向前方放了兩槍，也不知有沒有打中敵人。

第三章：敵我懸殊的槍戰

這樣猛的火力，不像是其他山賊，我心忖，難道真的是日本軍隊打過來了？

剛上岸，沒有什麼遮掩，根本就是給人家當人肉靶子。又不知道人家在哪方向，要跑也只能碰運氣，師父馬上想退回船上，哪知道船家聽到槍聲，自動開走了，反而是四師兄飛撲上了岸，剩下啞刀子一人在船上。

第二輪槍擊又來了，敵人似乎藏身很遠的地方，所以也無法瞄得準我們。一時間，我們也管不了地上的二師兄，連忙貓著腰，跑到岸邊一堆石頭後面，先避一會。

地上的二師兄已經沒有呻吟，生死不知；大師兄則不見了蹤影。我們帶來了三柄槍，就剩下師父手上一柄了，我偷來的三柄槍，剛好分給了三、四、五師兄，一人一枝。憑這四支短槍，今天逃得過去麼？大家心裡都沒底。

躲了一陣子，我見對面沒有什麼動靜，便試試探頭出去看看，我練神偷技術，當然也練眼力，夜裡看東西比別人強很多。一看之下，嚇出一身冷汗，見到左右各有十人，逐

步靠近，已經去到大概八十呎外的地方，似乎已成了一個合圍之勢。而且，他們手上都挺著長槍，論火力論射程，都比我們優勝。

師父聽了我的報告，竟然大聲說話：「究竟是哪條道上的朋友到了？我是天來峯老蕭，和道上的各方好友從無仇怨，只怕是誤會了吧！」話剛說完，就領著我們往來路悄悄地爬回去，此時月黑風高，敵人看不清楚，我們便去到右邊那幫人較近的地方，找了一堆亂石後面，勉強躲一躲。

師父讓五哥留在剛才的石頭處，到了約定時間，五哥仰天吐出一條火柱，然後往左邊那幫人亂放了幾槍。敵人一時間沒準備，馬上亂了陣腳，加上火光在黑夜之中太耀眼，他們眼睛適應不來，掌握不了我們的位置。相反，火柱上升的時候，我們早準備好了，看清楚右邊這十人的位置，師父和三哥四哥同時發動，三柄槍連續開火，馬上便把他們當場擊斃了七個，剩下來的三個躲在屍體後面，我們一時也奈何不了他們。

三哥也是殺得興起，居然衝了上前，揮動長鞭把屍體掀飛，然後開槍射向後面那幾個人，又是一輪槍聲，那三人

第三章：敵我懸殊的槍戰

可能給三哥的神威嚇得手忙腳亂，槍未提起就已經開了，哪裡打得中三哥，結果都給三哥擊斃了。

三哥也是得意忘形，這時候居然還回過頭來看著我們笑，我正要叫他快伏低，話未出口，他已經被左邊那十人亂槍打死了。

這時，五哥剛剛爬了過來和我們會合，我們剩下三柄槍，雖然殲滅了對方一半人馬，但依然是凶險的。尤其是我們用來掩護自己的石堆只有兩呎高，根本不能算是什麼屏障，而且行蹤已經敗露，也沒有什麼奇兵可用，更遑論有什麼餘力來收拾三哥的屍體了。

卻見剩下來那十人佔了我們本來的石頭，牢牢的監視著我們，哪怕我們只是把手腳伸展一下，他們都馬上開槍掃過來。

大概蹲了半個小時，腿都開始痠麻了，五哥終於忍不住，大吼一聲衝了出去，一邊口噴火柱一邊亂槍打過去。老實說，我們平日沒練槍，他又怎打得中人家？反而給人家

一槍打中，他一吃痛，那火柱倒捲過來，把自己燒成一個火
人。他身上有火水，任他怎樣也撲不熄火焰，他人在海邊，
要是跳到海中可能還有一線生機。可惜，他在地上滾了一
會，便不動了，那叫聲極為淒厲，跟那嗆鼻的煙焇味道一
起，特別令人驚心動魄。

五哥身上的火光，卻清楚地顯示了我們這邊掩護不足，
那十個人馬上便要一擁而上了。師父知道到了這時候，其實
也沒有什麼指望了，我們在火光下看到敵人的衣飾，已經知
道他們是黃慕容那幫人，大家爭了十多年地盤，絕無倖理，
只不明白，他們怎麼忽然間有了這麼強大的火力槍械。

師父望了我和四哥一眼，大家馬上有了默契，四哥馬
上深吸一口氣，鼓足神打功，站了起來，師父則在他腋下伸
出頭臉，連開幾槍；我剛以最快的步法搶前，去到三哥那堆
屍體旁，摸那邊的槍，希望增加少許勝算。

師父的槍法果然了得，轉眼便打倒五人。不過，大家
都沒想到，四哥中了一槍便倒了下來，師父在沒有掩護之
下，胸腹中了兩槍，再也無法作戰。

第三章：敵我懸殊的槍戰

我和師父往後面看去，只見大師兄拿著槍，從後面施施然走上來。四哥被人一槍打穿後腦致死，敢情就是他在後面放的冷槍，四哥把神打功集中在胸前，準備去抵擋前面的槍擊，本來也沒有十足把握，自然沒有餘力去保護後腦。

我剛舉起手上一柄長槍，老實說，我其實不懂得開，但也只好向著大師兄，裝腔作勢。豈料大師兄笑著說：「別來了，小七子，你根本不會用長槍，你騙誰來？」

師父當然不忿，咳著血問道：「十八，我一向對你不薄，我本來也是要把家業傳給你的，你反我有什麼好處？難道黃慕容會把他那份送給你？」

大師兄說：「我可沒耐性等，也未必等得到，誰知道六妹會否看中老二抑或老三？你敢說你的家當不是留給女婿的？而且，你太保守了，整天就只守著那個破山寨。你瞧，黃寨主那邊的火力多進取，來一次行動，便足足有廿支長火，我們山寨？整個天來峯，長火加短火不足十支，這樣下去，將來怎和人家爭地盤？」

　　我也忍不住插口：「師父平日最疼你了，你怎下得了手？」

　　「他疼我？」大師兄誇張地獰笑，說：「你問他，為什麼只教我刀棍拳腳？現在已經是槍炮的年代了，最辛苦的東西就要我去練，小飛和鬼鞭就練些輕鬆的，還不是看他倆生得俊俏，配得上六妹？」

　　我還是說：「六姐選上誰，這是她自己的事，你殺了我們也沒用。」

　　大師兄卻說：「你放心，我當然會殺了你們，我一會把你也殺了，一個人回到山寨去，自然就是寨主了。六妹今日不從我，將來也得從，只是你們怎也沒機會看 ……」說到這裡，他忽然停了下來，極驚疑地看著自己雙手手腕。

　　這時，我其實早已看到啞刀子在後面靜悄悄地上了岸，他擲了兩刀出來，我不看也估到大師兄的兩手應該中了刀，甚至可能給廢了。事實上，我也沒有時間去看清楚，我快步竄前，趁他連呼痛也未來得及的時候，和啞刀子雙雙捧起師

第三章：敵我懸殊的槍戰

父，連爬帶滾的跳到岸邊那船上，然後使勁的開船逃命，待得後面那幾柄槍來追，我們的船已經遠去了，耳畔聽到無數槍聲，因為距離遠了，都沒有打中我們。

可公開的情報

註 3.1：劉黑仔，原名劉錦進，廣東寶安縣大鵬城東北村人。由於皮膚黝黑，故被稱呼劉黑仔。1941 年擔任廣東人民抗日游擊隊惠陽大隊短槍隊小組長。1941 年 12 月 8 日，日軍進攻香港，香港保衛戰開始，由隊長黃冠芳及副隊長劉黑仔帶領的短槍隊進入香港建立抗日根據地。

第四章：我是你阿爹

　　兩星期後，我和啞刀子偷偷又回到山上，這時候，師父已經傷重過世了。他臨終時，忽然迴光返照，醒了過來，囑咐我們要回去救六姐，又叫我們不要當山賊了，反正附近幾條村都窮，也劫不到什麼錢，不如去當有錢人的保鏢，反而來得划算。我以為山寨上會有什麼寶藏，豈知師父說什麼也沒有。我又以為他有什麼信物，或暗號，讓我們去證明真是師父的遺言，豈料師父連玉佩也沒有一個，只有一疊鈔票和手上那柄槍，根本沒法證明師父是大師兄出賣的。

　　我真的有想過，就留在船家這邊生活算了。大家別小覷這個船家老邱，當日，他在槍林彈雨中，有膽量折返救我們，也不是未見過世面的草包。當然，為了報答他的救命之恩，又希望他收留我們在他家中養傷，師父也給了不少鈔票，不過，我後來才知道，老邱也不是普通開船的，除了自己一艘船之外，在油麻地四方街（**註：4.1**），還有三艘電船租給其他船伕，儼然就是一個小老闆。他在油麻地，黑白兩道都吃得開，所以明知我們在山上是幹什麼的，也沒有什麼忌憚，反而在聽到師父被大師兄出賣時，還替我們不值。

　　另外，老邱還有兩個閨女和一個小兒子，跟我們年紀

相若，頗談得投契。我就是覺得山上的姑娘太土氣；麗池舞廳「見識」過的，又太濃妝艷抹，反而是老邱的女兒時麾又不造作。而且，他們家什麼都有，每天有報紙，又有收音機，好像足不出戶，能知天下大事一樣。邱家姐妹說我們天來寨的名號，好像古裝大戲的東西，提議我們改名作「天來會」或者「天來號」的，更有時代氣息，我想，城市的女孩的確特別有見地。

我知道啞刀子想的，和我也是同一模樣，覺得留在老邱家裡，比山上快活得多；不過，我倆心中明白，如果我們不回去，白白讓大師兄搶走山寨，甚至送了給黃慕容，師父一定死不瞑目，我們下半生也睡不著覺。所以，雖然沒想到什麼辦法，還是硬著頭皮要回去走一趟。不過，我們當時真的無法預測，六姐會是這樣的反應。

其實，我們總共有四個山寨，不定期的轉換，有需要時，又會同時住在兩個地方，互相照應，讓敵人摸不清我們的虛實。

第四章：我是你阿爹

上山的路雖然崎嶇，但我倆熟悉地形，很快便找到大伙兒的地方，我們不知道大師兄是否已經到了，亦不知道六姐和寨裡的人是何狀況，故此，在山上等到天黑齊了，才放膽潛入，希望先找六姐，說個明白。

我和啞刀子摸黑來到六姐房間，老實說，這時候，我應該想的，是如何跟六姐說清楚來龍去脈，相信大師兄早已來過了，用他的版本說過無數遍，一定把我倆說成殺人兇手。不過，我那腦袋卻總是不聽使喚，老是在想六姐會否碰巧在沐浴，又或者海棠春睡的樣子。

當然，我腦海中那些香艷情節都只會在小說中見到，現實中永遠沒有這種巧合。

但你說沒有巧合呢，又往往會有些意想不到的巧合。

我剛來到六姐房門口，還未打定主意應該敲門抑或闖進去，恰巧六姐就在這時候開門出來，和我打個照面。我和啞刀子還沒有來得及反應，六姐就一手一個，把我們拉了進去。

我連忙說：「六姐，我們是好人，我們是來救你的……」

話說到一半，六姐已經說：「我知道。」

她知道？她知道些什麼？我突然發現，六姐背上馱著一個包袱，床上用被鋪疊起一個人形似的形狀，大概是假裝她還在床上睡覺，這個情況，她八成是在離家出走。

六姐見我左看右看的，也沒好氣的說：「別望了，你要是遲來半晚，我便走了。大師兄要做寨主我可以由他，他還說要娶我，他那張臉……我怎可以嫁他？要嫁也得選一張小生臉來嫁嘛！他當然說是你們殺了爹，爹呢？」

我還想從頭說起，沒說得三、四句，六姐就制止了我，然後把我們拉出門口，往師父以前的房間裡去了。「先去爹的房間裡再談，免得大師兄又過來找我。」

山中當然沒有電燈，六姐點起了油燈，便說：「我猜爹也是凶多吉少的了，否則，大師兄不敢放肆，其他師兄呢？」

第四章：我是你阿爹

我說：「都犧牲了。」

六姐幽幽的嘆了口氣，問：「爹走的時候，辛苦嗎？」

我只好說：「師父胸口中槍，我們找大夫來看過幾遍，始終都是治不好，他老人家走的時候，就是掛心你。」我說罷，便把師父的手槍掏出來，遞給六姐看。

「大師兄和什麼人勾結？」

「似乎是黃慕容。」

「我也是這樣猜，」六姐把師父的槍推回給我，又道：「那傢伙說是小飛和老三帶的頭，拉攏了你們一起去勾結日本鬼子，想一舉剷平了我們山寨。然後一回來，馬上就要當寨主，又要和黃慕容結盟，又要娶我做寨主夫人的，我就知道他不安好心。」

我馬上說道：「寨中的兄弟都是忠心的，只要六姐你出頭，一定可以扳倒十八般。」

六姐卻說：「忠心我這邊的人雖然多，但十八般的黨羽也不少，而且，我們不知道他暗裡收買了多少人，黃慕容那邊有沒有人馬來支援，這時候，萬萬不能正面衝突。」

我心中一動，便說：「如果師父在，寨中兄弟就一定忠心我們這邊，對不對？」

六姐和啞刀子一同望著我，眼中閃出亮光。

原來黃慕容那邊派了人過來談結盟的事，在山寨住了兩天，今天剛剛離開，十八般親自送人下山，所以天黑了才回來。他一回山寨便去找六姐，見六姐不在自己房間，便過來師父房間這邊找她。

那傢伙可能真的以為自己是寨主了，門也不敲就衝了進來，人未進門，聲音已到：「六妹，山寨的大事已經談好，我們的大事也該開始了。」

第四章：我是你阿爹

六姐劈頭就大罵道：「畜生，爹已回來了，你幹的好事瞞得了誰？」

十八般似乎還喝了酒，他一進門便帶來一股酒氣。被六姐一喝，他也是一驚，道：「師父回來了麼？」

這時候，我早已穿起師父的舊衣裳，用白布裹住自己大半邊臉，連頭髮也遮起來，然後模仿師父的聲音語調，道：「我是回來了⋯⋯咳咳⋯⋯你那一槍，要不了我這條老命。」

平日，我和三師兄六姐啞刀子最喜歡胡鬧，我扮師父的聲線神態，最是神似，幾可亂真。大師兄經常在外面做買賣，沒有和我們一起玩耍，倒不知道我還有這一手絕活。不過，師父身材比我高大，我只可以坐著扮，一站起來就不成了，也不能讓他走近來看。

十八般也是見慣風浪的人，雖然是嚇了他一跳，馬上又鎮定下來了，慢慢走過了，一面試探道：「師父，你老人家莫非有什麼誤會？」

　　我當然不可以讓他走近，立即向十八般身邊，近左邊窗前的蠟燭開了一槍，把蠟燭打熄，嚇得十八般不敢前行。

　　我當然沒有這麼準的槍法，寨中只有師父的槍法，才有這個水平，我其實只是向那邊窗子打了一槍，啞刀子一早躲在外面，依我們的計劃，配合我的槍聲擲飛刀把那蠟燭打熄。其實，除了枱上的油燈外，六姐另外點起了四枚蠟燭，準備好去假扮師父的槍法，嚇唬十八般。

　　十八般聽我的聲音，再看這槍法，也真的有點相信了，我心中雖然緊張，也不忘去看他表情變化。在這之前，我們有預設過幾種可能，我相信他不會馬上逃跑，因為他天性多疑，不會完全相信，又不甘心就此放棄他剛剛到手的山寨。他有可能反抗，但這時我和六姐手中有槍，啞刀子的飛刀又靠得住，這一點不值得太擔心。我稍有擔心的是他會脅持六姐，所以我們設定了六姐罵完第一句之後，馬上退到我這邊來，比較安全。

　　或問，為什麼不乾脆斃了他，一了百了？其實，我們商量過，說不知道他在寨中的勢力如何，又不知道他和黃慕

第四章：我是你阿爹

容有什麼勾結，一時三刻，就這樣殺了他，山寨不知道尚有多少後患，所以，我們另有計劃。

我再假扮師父的嗓門，帶著咳嗽聲，說道：「我們吃江湖飯的，被出賣被埋伏，那是因果循環，我沒有什麼好怨的，只不過，出賣我的人，怎可以是你啊？」

我看見十八般在看我手上的槍，他應該也看到六姐手中是有槍的，他當然是在掂量自己發難的話，有沒有勝算。十八般擺出一副沮喪可憐的臉，說道：「師父，徒兒只是一時糊塗，鬼迷心竅，受了小人唆擺，才做錯了！難得見師父無恙歸來……師父，你就原諒我一次吧！」

嘩！給你殺了也可以原諒？不如你也給我殺一殺！看見他那嘴臉，我完全明白六姐寧願出走，也不嫁他的心情。

我又詐咳了一會，再說：「你那一槍也真的要命！」

十八般連忙說：「不是的，我只打了老四一槍，沒敢向師父老人家開槍，師父的傷城如何？這都是徒兒闖的禍！

徒兒該死！」他口中說話，腳步卻向前挪移，我當然知道他不安好心，馬上又開槍打熄一枝蠟燭，有啞刀子的配合，果然天衣無縫。

我喝罵了一聲：「畜牲，站住！別想又過來計算我！」

十八般見我百發百中，更加相信我是師父了，只好站在那兒，進不得，退也不是。

我再說：「我來問你，黃慕容給你什麼好處？讓你來殺我！」

十八般答道：「哪有什麼好處，只是答應不侵犯我們便是了。我和他們結盟，也是為了山寨的好處。」

我說：「毫無好處，你出賣我幹啥？我又沒有子嗣，百年之後，這個山寨還不是你的？」

「師父最疼六妹，山寨當然是女婿的。我早前向你提親，你又不允，說什麼自由戀愛的，我見六妹和老三要好，

第四章：我是你阿爹

心中急了，才被黃慕容那邊說服了。」

　　原來還有私下提親的事？這個就更配合我的計劃了！我便說：「傻孩子，六妹是你胞妹，我當然不能讓她嫁你吶，但你才是我的長子，山寨當然是你的了。」

　　十八般登時不懂反應，我便說下去了：「你媽死得早，沒來得及告訴你這個真相，為保你媽名節，我本來也打算不提這秘密的。想當年，你媽的老公不是我的無敵先鋒嗎？每一次衝鋒陷陣，任何危險的戰役，都是由他去闖。其實，就是因為我一早看上了你媽，哪曉得，你這個便宜爹爹又真的福大命大，打了十年硬仗都沒有死得去，反而成為了我的無敵先鋒。」

　　十八般瞪著一雙眼，不懂得反應。

　　我繼續說：「你媽死時，你只得三歲，她當然沒有跟你說，我才是你的親生阿爹。那時候，山上又不是只有你一個孩子，我幹嘛就只收你一個做徒弟？我再娶妻生六妹，那是你媽死後的事了。當時，我總希望你那個爹早點死，我就

正式娶你媽過門，我也可以認回你做兒子。」

十八般將信將疑，問道：「那麼，師父……」

我說：「我是你阿爹！」

十八般：「爹！孩兒錯了！」

我再說：「別過來！其實，我中槍後，又惹了個肺病，大夫說無藥可治，但這病會傳染，你別過來，山寨往後還要靠你支撐。」

十八般眼睛瞪得大大的，說：「是癆病？」我見他雙腳微微後退了半步，我心忖，原來肺癆比槍更可怕。

我沒有正面答他，卻說另一個：「我先來問你，黃慕容派人來了兩天，和你談了些什麼？」

十八般說：「沒有什麼大事，我們現下決定了互不侵犯，往後就有好日子過了，他們還叫我早定婚期，到時黃寨主親

第四章：我是你阿爹

臨道賀什麼的。」

我一拍大腿，道：「這可壞了，他們狼子野心，怎會真的議和，親臨道賀？我道他是看我們元氣大傷，你又不懂防備，屆時他親自帶兵來打我們才真。我再問你，人家派人過來作客，有沒有來看我們的兵器庫？」

十八般答道：「他們多次來問，我見我們的槍實在太少了，不好意思帶他們去看，就沒有讓他們去看。」

我說：「這樣還好一點，他天性多疑，必會以為我們故弄玄虛，反而不敢魯莽，師父常說『能而示之不能』……」

十八般說：「什麼？師父？」

我自知說錯了話，連忙說：「我師父，即是你們師公嘛！他教我的各項絕技，最厲害就是這門孫子兵法，你就是沒有心機學好它，現在給黃慕容計算了，還不是陰溝裡翻了船！」

十八般囁囁嚅嚅地說：「我以為最厲害的是槍法……」

我立刻破口罵道：「就是惦記著我沒教你槍，你這是不知長進嘛，我教你智謀，就是愛惜你，不想你衝鋒陷陣，哪知你就是不學好，今天就中了人家的奸計。」

十八般還要辯：「人家也是蠻有誠意的，兩寨議和後，自然各做各的買賣，其他小幫小寨又不成氣候，我們雙方都沒有後顧之憂。」

我雖然不是真的師父，但看著這個愚蠢大師兄，也真的沒他好氣，再罵：「我不是教過你，『非利不動』嗎？沒有利益，姓黃的幹啥要大費周章，幫你奪權？這次開火，他們死了十幾人，這筆成本有沒有向你討回？」

十八般說：「這倒沒有。」他似乎以為人家真心待他好。

我馬上說：「作孽啊！我怎麼生了這麼一個蠢兒子？你想想，整件事只有你一個人得益，姓黃的吃飽飯撐著，平白無事的跑來幹這票賠本生意？你再想，他賠了十幾條人

第四章：我是你阿爹

命，白白捧你上來做寨主，將來還要來吃你的喜酒？他一再示好，必有所圖，分明不安好心！」

十八般終於明白，便道：「爹，是我糊塗，我們應該怎辦？」

我說：「我們的主力給他一口氣殲滅了，現在是外強中乾，幸好現在已經是槍炮時代，姓黃的摸不透我們有多少槍，只看見我們寨中人多，一時三刻不敢攻過來。這樣吧，你明天去他們山寨，說要賠他們十幾條人命的安家費，順便向他們借四十柄槍，就說你新任寨主，要在寨中元老面前立威，所以想帶兵去動山北老梁的地盤，人馬用我們的，他們出槍炮火藥，打回來的地盤利錢和他平分。」

十八般問：「真的要向老梁開火嗎？又打一場，我們的元氣不是再傷一次嗎？」

我想笑，但忍住了，一笑出來那聲音便不像師父了。

我只說道：「傻孩子，我哪會真的開火，借了姓黃的

四十柄槍，也沒打算還給他，槍到手了，我們訓練好大家用槍，到時假意辦婚禮，騙黃慕容親自帶兵來攻時，我們在狹道伏擊他，以後方可高枕無憂。」

十八般沒有反應，也不知道他有沒有聽懂。我再說：「人家未必真的借那麼多槍給你，但我已派了小七和小刀去老張那邊取錢買槍，只要讓姓黃的以為我們依然實力雄厚，還有餘力擴張，他不敢太貿然進攻，便可以了。」

十八般只好奉承道：「還是爹的計策高明。」

我再問：「兒啊，你手上的傷實際怎樣了？」

十八般說：「手上傷了筋，暫時不能使力，短期內只能用腿功了。」

我說：「傷了手，就用多點腦。我也累了，你去打點一下，明天去借槍吧。」

第四章：我是你阿爹

可公開的情報

註 4.1: 香港政府於 1887 年根據油麻地天后廟前的一個廣場，將其名為 "Public Square Street"，取其公眾廣場之意，但是中文名稱卻誤譯為「公眾四方街」。1970 年代，才再改為眾坊街，取其公眾聚集場所之意。眾坊街西端與渡船街交接處乃昔日油麻地碼頭的舊址，該碼頭過去提供來往維多利亞港兩岸的渡輪服務，後來佐敦道碼頭於 1933 年落成後，便取代了油麻地碼頭。現時佐敦道碼頭舊址部分是港鐵西鐵綫柯士甸站。

許可

這是一個人人應該是英雄的年代

第五章：我們是時髦的「天來會」

為策萬全，我們翌日清晨便括了去另一個寨，如果敵人真的來襲，馬上便知道了。十八般也真的去問了黃慕容借槍，他是否借到槍回來並不重要，最要緊的是要他以為我們尚有大把本錢。其實，十八般拿去的所謂安家費，已經是寨中四分之一資金，不過，出手重一些，人家自然會信我們有錢有人，摸不清楚我們底細，尚幸寨中糧草足，要捱一個冬天不是問題，但要再用錢去買槍，六姐是說什麼也不肯了。

如此一來，去香港找老張取些資金，買三、四十柄槍是必需的，買槍的門路也有，只待十八般借槍回來，看黃慕容那邊的反應，是否和我們預計的一樣。

我問過六姐，是否要殺十八般報仇，六姐說：「這個是父仇，當然要報，但他現在還有用，如果我們一時衝動斃了他，恐怕反而惹來敵人。至於黃慕容嘛，我沒打算開戰，要是真的打起來，雙方都沒有好處。」

我有點困惑，罪魁禍首是黃慕容，真的不用報這個仇嗎？

　　六姐見我猶豫，又道：「殺十八般，只花一顆子彈。殺黃慕容，我們山寨上下一百二十名壯丁，恐怕要死一半；現在所存彈藥，大概要多花四、五倍才可成功。即使我們成功了，從此元氣大傷，淪為一幫小勢力，別說其他綠林山寨，只怕連圍村的部隊也可以來找我們麻煩，這種日子，我可不想過，也不想寨中的兄弟們過。」

　　六姐計算得通透，我當然同意，但總覺得師父的智謀，統統都教了她，她腦袋裡的東西，只怕不是我們可以想像的，於是，我又問：「其實，山中總共有幾柄槍？」

　　六姐想了想，答道：「我也不瞞你，山中只有十柄短火，兩柄長槍，那長槍其實只是用來唬人的，我們下山做買賣，根本用不著，爹總覺得我們名頭夠大，沒需要真的開火，不過，這一回，你就看到人家的火力了吧。」

　　我說：「是的，長槍射程遠，真的兩軍決鬥……不過，他們說劉黑仔都喜歡用短火的。」

　　六姐忽然跟我說：「我們先穩住黃慕容，事情安排好

第五章：我們是時髦的「天來會」

之後，你馬上去香港，買多些槍械回來，順道打聽一下，日本鬼子的動態如何。坦白說，我們一百幾十人，根本沒法和日本鬼子上萬人的部隊對抗，爹說得不錯，我們去當有錢人的保鑣，表面上是我們保護人家，其實是投靠他們。」

六姐的算盤和師父像是同一個模子鑄出來的，我當然覺得這是保存山寨的方法，不過，我們就真的不可能跟日本鬼子打一場麼？聽回來的英雄故事，都是誇劉黑仔，怎麼不能有一個關於我 ——「蕭七的故事」呢？

我沒有跟她談這個，卻說：「要進城去打交道，我們可能要改一改名字，天來寨這個名字太古老，不如叫做『天來會』，比較時髦一點，也容易讓城裡的人接受。」

「也好的，這個就依你的吧。」這時，六姐忽然又改變了語調，前一番話像個老練的軍師，忽然間變回一個姑娘，那句話就像唱大戲的花旦，說「相公，奴家一切依從相公主意」似的。

我忽然泛起幻想，所有師兄都死了，眾兄弟還有六個

隊長，四個娶了妻，剩下兩個老傢伙，六姐都不會看得上眼，那麼，她要選夫婿，就只剩下我和啞刀子兩個選擇，這麼一來，她多半會挑我。不好，那麼我下半生豈非都要聽她的？到時，只怕除了兒子的名字由我改，她會說「這個就依你的吧」，其他行住坐臥，都要聽她發落……

不對，名字可能由我改，姓呢？還不是跟她爹姓蕭？這可當真賠足了本吶。

我還在想著，十八般就回來了，他一見到我，馬上有所戒備的樣子。六姐反應快，立即說道：「哥，別擔心，爹已經把整件事情告訴了小七和小刀，現在他們兩個都是自己人，有什麼事都可以照直說。」

十八般便說：「爹吩咐的事，也辦好了，正要向他老人家稟報。」

六姐說：「爹的病又發起來，我派人送了他去找大夫。

第五章：我們是時髦的「天來會」

小七和小刀剛回來，我正要派他去買槍。哥，你借了多少槍
回來？」

十八般說：「姓黃的以為有現成的便宜，可以不費兵
力取得老梁一半地盤，很爽快便借了三十柄槍給我們。」

六姐問：「長槍？」

十八般說：「都是短槍，方便我們行軍迅速嘛。」

其實，我們也早預計了會是這樣的，黃慕容借短槍，
看似是支持，但也是做好兩手準備，要是將來真的要來攻打
我們，我們手上短槍再多，也不夠他的長槍射程遠。難為
十八般還好像要回來領什麼功勞似的架式。

六姐心中有底，便說：「這可真是旗開得勝了，我猜
黃慕容怎也不會有超過一百枝槍，哥哥去走一趟，便取得他
們三分之一的兵力了。爹出門前吩咐，他身體不好，不能當
寨主，要你帶著他往日的親隨人馬四十人，駐守東寨，正式
做天來寨寨主。這隊人馬最是精銳，你是知道的，也正好用

來監視黃慕容的動向。」

　　十八般聽見真的讓他當寨主，喜形於色，便道：「一切由爹決定吧。」

　　六姐再說：「我則帶著其他兄弟和家眷，留守在這裡，改名為『天來會』，一切日常買賣，由這兒負責，平常食用物資，由我來打點，哥哥不用操心，只需專心監視黃慕容的動靜便成了。」

　　十八般聽有這麼多現成的便宜，隨便的問了句：「改多一個名嗎？叫什麼會的，好斯文秀氣。」

　　六姐說：「哥哥，那就是你攻我守，你吃飯我炒菜，爹爹叫你當大將軍嘛！現在，小七和小刀馬上要去城中買槍，不可耽誤時間。槍未來到之前，哥要好好穩住姓黃的那邊，姑且說時機未成熟，可能要過十天半月才出兵。」

　　這個，我們也是早早計議好的，師父的親隨兄弟，都是忠心六姐的，放在哪裡都會向著我們。其他八十人，我們

第五章：我們是時髦的「天來會」

就拿不準了，所以，六姐就放在身邊，趁這時機好好觀察，看看誰是十八般的人。我懷疑，他們即使是十八般的所謂親信，多半都覺得自己是天來寨的，隨時可以收買過來。

而且，留下來要幹活，十八般卻帶別的兄弟去東寨逍遙快活，本來支持他的人一定會有怨言，到時候，六姐就更有把握扶植自己的勢力。

我和啞刀子呢？當然馬上就往城中走一趟，我可真的惦念老邱那家人吶！

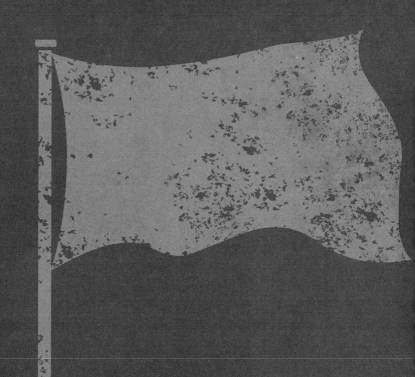

大營救
1942

第二部分

英國人的統治

第六章：過一過海也要偷渡？

　　天來會的問題暫時解決了，自然要去找老張籌錢買槍。我也沒打算帶多少人手，就和啞刀子兩人，先到油麻地四方街的爛仔館，和開船的老邱吃了頓飯，他那兩個閨女可真當我們是山裡的英雄，整晚要聽我們說江湖故事。原來這時候有燈光管制，洋人政府要求在防空演習的晚上，不准把燈光向外露，否則有可能處以鉅額罰金，所以，兩個妞兒晚上無聊，更是纏我們講故事。

　　老邱的大閨女還說：「洋人的規矩就是古怪，說在警報時我們不應關燈就睡，要維持日常的活動，但又要不使燈光外露才算成功，顧得遮住燈光，又顧不得幹活，也不知道該怎樣做才好。」

　　老邱笑說：「他們自己也不知道應該怎樣安排，我聽說在大陸，和日本鬼子作戰時，乾脆就停了電，一了百了。」

　　我其實也沒有聽老邱的說話，我只在想，將來當了天來會會長，打下了黃慕容，當然要回來納這兩個妞兒作妾，不過，也該留一個給啞刀子，我應該挑哪一個呢？大妞伶俐，但有點吵耳，二妞又太靜，又不知道啞刀子喜歡哪一個

……我自己琢磨了半晚，還是拿不定主意，也就睡了。

翌日，12 月 8 日的清晨，一早就和啞刀子去到尖沙咀漢口道，老張的家。豈料老張一開門，見到我們便匆匆忙忙的，拉了我倆出去。我們來到附近的西人青年會，看見電桿上貼了一張《星島日報》的壁報，寥寥只寫了「日本今晨同時對英美宣戰」幾個字，一大羣人就圍在那兒，不肯散去，好像這張壁報待會可以生出其他內容一樣。

我忍不住說道：「總共也只是那十一個字，大家看多少遍也是一樣的嘛。」

老張眉頭緊皺，說：「就是嘛，人家英文報紙已經出了號外，中文報紙要等華民司檢查，現在危急關頭，居然無法出報紙通知大家，也不曉得是否要去防空洞。」

我有點肅然起敬，道：「老張，你連洋人報紙也懂，你這的確是真人不露相。」

第六章：過一過海也要偷渡？

老張抓了抓頭，笑著說：「就是看不懂，所以才來青年會，問問他們的消息。」

跟著老張轉了幾個圈，消息滿天飛，有人說日本鬼子來了，也有人說英國人的軍隊打跑了日本人，莫衷一是。折騰了老半天，老張毅然決定，先去香港島那邊。

我連忙說：「你要過去不難，但我打算先提些預款，置多幾十枝槍，將來帶人馬來保護大家，比較有把握。」

老張卻說：「蕭老弟，這個你就有所不知了，我們家裡的現款有限，錢都放在銀行。但九龍根本沒有一家銀行的總行，要提取大額現鈔，一定要去香港島才有。」

「有這樣的事？」

「原因很明顯嘛，只是因為香港太擁擠，才把九龍開闢出來作住宅區。」老張繼續解釋：「只有香港島是割讓的，九龍只是租借地，將來要還給中國的。所以，大部份的政府機構、商業辦事處，都主要在香港島。」

去到碼頭附近，才知道政府有新令，由香港可以自由去九龍，由九龍去香港卻需要領通行證，這時去辦手續已經來不及了，相信，乘渡海輪過海是行不通的了。

這時候，九龍公車如常行駛，人就愈來愈多了，場面愈鬧愈大，有些由九龍城深水埗來的人，更帶來了啟德機場、深水埗英軍兵營被炸的消息，令羣眾更加騷動。

老張這時候就更徬徨了，恰好碰到兩個相熟的，說「藍煙囪」附近的九龍倉碼頭那邊有汽艇，可以過海。這時候，他也顧不得是真是假，便跟著那兩人過去了。

這兩人一老一少，年輕的叫戴偉，打扮時髦，是英國洋行的司理；年紀大一點的姓沙，大概四十來歲，但有點佝傻，蓄一絡稀疏的小鬍子，看上去顯得有點蒼老，原來是在報館當編輯的，對時局有點認識。

往搭汽艇的途中，沙老編忍不住議論：「忽然間切斷九龍往香港的交通，這不是蓄意引起恐慌嗎？」

第六章：過一過海也要偷渡？

戴偉卻說：「只是暫時性的吧！日本人又怎會真的來招惹英國軍隊？都是些謠言，剛才有些人甚至說日本空軍炸了啟德的戰機，這根本就沒有可能。我的洋人老闆告訴我，日本鬼子的飛機都是舊式的，而且，他們的駕駛員都是近視眼，不能進行俯衝轟炸。」（註 6.1）

我忍不住說：「不可能吧，日本就沒有正常視力的飛機師嗎？」

沙老編也忍不住道：「你少聽他的，如果日本鬼子真的那麼不濟事，中國大陸就不會連續打了四年仗，也趕不跑他們。」

戴偉還要爭辯：「其實英國人和日本鬼子的關係很要好，日本軍本來還邀請英軍參謀部，去參加他們在邊境舉行的運動會，好像還是上星期的事嘛！其實，日本人哪敢動英國軍隊？早陣子英國軍隊操練遊行，個個天神似的高大，比我高出一個頭，那種威武氣勢，怪不得戰無不勝！而且，我告訴你們一個秘密，我在中環上班，我的洋人老闆知道有一家日本人開的餐館，就在我們辦公室附近，如果日本人要打

我們，這家餐館又怎會照常營業？」

聽到這兒，我不禁心中一動，我記得師父每次去打大村莊時，開始時都是客客氣氣的，又是拜帖又是登門造訪，待得那些村莊以為有商有量，打算給些賞錢打發我們時，師父才忽然發難，把村裡的武裝殺個措手不及，然後才洗劫一空。這些手段，師父說是孫子兵法中的疑兵之計，用各種手段減低獵物的戒心，然後一擊即中，師父還有幾句口訣的，我沒記得清楚，便說：「會不會是日本鬼子的計謀？我聽過什麼『難知如陰』和什麼什麼『如雷』的。」**（註 6.2）**

戴偉哈哈笑道：「日本人不是學了我們的風林火山嗎？哪有什麼如陰如雷的，小孩子亂掉書包。」

我一時間也不曉得是對是錯，但人家是打洋人工的，好像很有學問似的，我自己的口訣又沒背好，也不知是否應該爭辯下去。

老張生恐我說下去會掏出天來會的背景，連忙來打圓場，說：「無論日本人是否真的攻打香港，也不應這麼快截

第六章：過一過海也要偷渡？

斷香港九龍的交通嘛？現在過海好像偷渡似的。」

　　沙老編乾咳一聲：「不是好像，我們其實的確是在偷渡。只不過，今晚放工又可以堂堂正正的搭渡海輪回來罷了。不過，英政府這個措施很奇怪，他們本來的政策是，盡量維持港九的生活常態，但今天剛出事，這個政策就整個倒過來實施，引起恐慌是必然的，你們想，為了省房租，多少人住在九龍而往香港上班，切斷港九交通，大家就失業了。而且，我們的財產多半都存於香港的銀行，大家昨天還是好端端的，今天就一貧如洗。」

　　戴偉卻說：「老沙別危言聳聽，我們現在不正是找船去香港嗎？」

　　沙老編繼續說：「我們幾個人還可以偷偷找汽艇，商家的貨物就多半存在九龍的貨倉，很快就物資不足了。我們辦報的最明白，紙張都存在九龍，切斷了交通，我們在港島的存紙用盡後，報紙就印不出來，市民又從何知道戰事發展？政府的宣導也無法達到民間，這些都是問題，政府不考慮這些，忽然改變政策，大家都吃不消。」

給沙老編這樣一說，我登時心中一寒，這個洋人政府好像不怎麼靠譜，我是否要早一點安排，買多點槍彈，準備回去保護六姐？

說到這兒，我們來到九龍倉這邊，原來已經人山人海，哪裡還找得到船？我們四人焦急之際（只有四人急，啞刀子依然冷靜），忽然見到一個眼熟的，原來是老邱的幫工小廝，老邱也過來這邊了？有他在，哪愁找不到船？也沒多久，老邱的船回來了，自然優先送我們過去港島，我聽老邱說，他這天的生意，幾乎等於一個月的收入。

不過，我忍不住跟老邱說：「我們今天是偷渡過海，但也的確太招搖了，聚集了上千人，沒可能天天都可以這樣的，明天再開工就要小心些，盡可能換些不同的地方上船，雖然說富貴險中求，但也不必要冒太多險。」

原來，老邱本來沒打算聽我勸，但他和兩個小廝這天過份勞累，第二來就病倒了，適逢警察來徵用汽艇，把其他汽艇舢舨都徵去了，老邱好運氣，逃過一劫。

第六章：過一過海也要偷渡？

　　來到港島，市面上沒有尖沙咀那麼混亂，不過，街上依然有許多人在看那只有一句話的報紙壁報。我和老張沒逗留，馬上去找史家兄弟，去到一個叫跑馬地的地方，按了老半天門鈴，也沒有人應門。

　　老張沒辦法，說：「我先去銀行提錢，回頭再來找他們，不過，大部份的資金都在史家兄弟那兒，我銀行裡的存款肯定不夠。」

　　其實，也差不多是午飯的時候，我們好不容易才找到一家還肯做生意的小餐館，剛坐下來就聽到一些爭執，原來這家餐館坐地起價，把價錢調高了三倍來敲竹槓，這個我們倒也沒所謂，反正吃完這餐，也要準備回去。我這時的心思，反而是在盤算，要是日本鬼子來了，我們應該在山上面守著，抑或帶大家過來港島？

　　老張胡亂吃了點東西，就往銀行去了。他半天未回來，我和啞刀子只好等著，這頓飯，整整吃了四個小時。中午時份也真的聽到一些轟炸聲，警報響了又停了，陸續有些人傳來消息，這次炸的不是九龍而是香港，傳說是山上的炮壘給

炸了，也有說是什麼金鐘兵房（**註 6.3**），炸死了許多英國士兵及市民。我在想，不過是區區五十來人的餐館罷了，怎生有這麼多消息？大家似乎又不打算去防空洞躲一躲。

忽然，店主老闆跑出來宣佈，事態緊急，今天的價錢一律加五倍。我心中暗笑，反正要埋沒良心，開什麼餐館，不如索性跟我們上山當土匪！

我念頭方起，果然有一個小伙子掏出一柄小刀，嚎喝道：「你這分明就是趁火打劫！你打劫我就不如我打劫你！你今天賺了多少冤孽錢，統統給我拿出來！」

大家打量這個傢伙，穿一件白襯衫、毛背心，臉上雖然猙眉怒目的，但看他白白嫩嫩的皮膚，一看就知道平時不是幹粗活的人。一時間，餐館裡的人都沒有反應，小伙子大概也知道自己的書生臉，沒有什麼說服力，便嚷道：「這家餐館是奸商，誰跟我一起劫富濟貧？」

食客們真沒當他是一回事，有幾個人還繼續吃自己的麵，小伙子急了，便四下打量，敢情是想找個人質開刀，立

第六章：過一過海也要偷渡？

一立威。他向我這邊看來，我心忖：「好哇，看得出我比你還少幾歲，以為我好欺負？快！過來捉我吧，包保有好戲看。」結果，他看一看我這桌有兩個男的，似乎沒有把握，又去看別的方向。

這個窩囊廢，終於盯上鄰桌有女眷，便衝過去要拉一個出來。這時，我看得心中有氣，便一腳踹在他腿彎之上，他個子本來只是比我高少許，一栽倒，那高度剛好讓我提膝撞他面門。然後，我夾手把他的小刀搶過來，扔到地上，再把他拖到餐館的角落，露出我內袋裡的槍柄，給他看了看，再悄悄說：「一柄小刀就可以打劫了嗎？太不上道了吧！你給我安份些，否則一定有你好看！」

這時，另一桌有個生意人模樣的胖子，笑瞇瞇的過來，跟我說：「我是粵華公司（**註 6.4**）的歐陽，這個小哥也是走投無路，一時想不開，才出此下策，不如賞我一個面，把他放了，這頓飯我來作東好了。」

我本來也沒打算把他怎樣，便作個順水人情，把人放了。歐陽卻把小伙子拉了過來，和我們坐在一起，跟我們說：

「看你的身手，一定是名師之後，請問貴姓呢？」

我胡亂自稱姓陸，便想打發他走。豈料這個歐陽話匣子一打開，自顧自的說他在重慶和廣州的見聞，尤其是日本鬼子的事，說的比鬼故還要恐怖，說了一會，他忽然又說：「其實我不是什麼粵華公司的，粵華公司去年已經沒有了。」

什麼是粵華公司？很有名的嗎？這個我不懂，難道是什麼暗號？歐陽見我沒有反應，又說：「現在日本鬼子來了，英國軍隊不會保護我們，情況比大陸那邊還差，抗日這回事，我們要自己幹。」

我隨便道：「打仗的事，靠軍隊去打唄，我們自己哪幹得來？」

歐陽把右手放在胸前，做了個手槍的手勢，說道：「一般老百姓也在籌謀，更何況陸先生不是普通人。」難道我剛才不小心，讓他看到我的槍柄？

這時，那個失敗劫匪還淌著鼻血，也來插嘴，道：「這

第六章：過一過海也要偷渡？

位大叔說得好，陸兄剛才一招把我打倒，當然不是普通人，現在國難當前，正當出來振臂一呼……」他愈說愈興奮，鼻血濺到我的茶杯上來，我瞪了他一眼，他便不敢說下去了。

歐陽這時才醒起要跟他說兩句，便問道：「這位小哥怎稱呼，什麼原因要鋌而走險？」

那傢伙便說：「我叫阿立，頂天立地的立，在洋行當文員的，今早很艱難才由九龍過到來上班，豈知剛去到公司，老闆說打仗了，公司不需要太多人，我又住在九龍，所以即日便把我辭退了。我還未想到如何和家裡人說，自己來這兒吃飯，豈料那賊奸商又忽然漲價……」

這時候，老張回來了，他一看見歐陽，即時怔了一怔，敢情他們是相識的。老張一坐下來，便跟他招呼：「歐陽兄，我就知道你會在附近的。」

歐陽也是心思細密，便說：「我道是誰？原來是張兄，我們上周才說起那件事，誰知道來得這麼急，對了，這位陸兄弟原來是你的朋友，那麼事情就更好辦了，多些有能之

仕，那件事就更有把握。」

　　老張一聽人家叫我陸兄弟，就知道我沒有通報真姓名，當下心中一寬，儘和歐陽說些不著邊際的，始終沒說他們口中的那件事，究竟是什麼一回事。

可公開的情報

註 6.1：據英國軍官於 1941 年 11 月，向到港之加拿大軍官的介紹中，有這樣的紀錄：「邊境對岸的日軍約五千人，只有為數極少的劣等裝備，他們不進行夜戰，他們的飛機大部分是舊式的。由於駕駛員是近視眼，不能進行俯衝轟炸。」

許可

第六章：過一過海也要偷渡？

可公開的情報

註 6.2：原文是《孫子兵法・軍事篇》：「其疾如風，其徐如林，侵掠如火，不動如山，難知如陰，動如雷震。」由於日本戰國時期的名將武田信玄深深被孫子兵法吸引，故此以前四句作為軍旗的旗印，令「風林火山」更廣為人知。不過，至於他們為何沒有用後兩句，則無從稽考了。

許可

可公開的情報

註 6.3：金鐘早於 1840 年代時建成域多利軍營，是香港昔日駐港英軍一個主要軍營之一。1941 年 12 月 8 日上午 9 時 40 分，日本皇軍飛機空襲香港，第 1 個炸彈便是投在金鐘兵房。金鐘兵房就是太古廣場的現址。

許可

可公開的情報

註 6.4：在 1938 年，中共政府派出廖承志、潘漢年等，在香港設立八路軍駐港辦事處，為了照顧港英政權的「中立地位」，在皇后大道中 18 號 2 樓，以「粵華公司」的名義成立，裡面以經營茶葉買賣作為掩護，實際是安排港澳及海外的資助，進行輸送人力物資到抗日根據地的工作。不過，「粵華公司」在 1939 年結業，故事中的歐陽也只是虛構人物。

許可

第七章：大事件居然是不賺錢的

沒想到，我們跟著老張，在跑馬地中環灣仔北角等地方，團團轉了三天，始終未找到史家兄弟。我擔心山上的兄弟，本想先取了老張那筆錢，買些槍彈火藥，先回去走一遭，但老張原來只是幫幾家大戶人家當跑腿的，他自己銀行裡的資金有限，只夠我們買十柄長槍，哪夠山裡的兄弟用呢？也只好希望等他找到那幾個財主老爺。

這三天，老張在灣仔駱克道找了個地方暫住，那兒的屋主是個經營越南大米的商人，他和姨太太住樓下，想把二樓租出去。他和老張相熟，就暫時讓我們住幾天。老張卻慷他人之慨，把沙老編和另外的朋友也招呼了過來，這些人本來都住在九龍，偷渡過來就不打算回九龍那邊了，寧願在這兒擠一擠。

沙老編是辦報紙的，對局勢發展知道得很快。我們原以為英國人的戰鬥機如何先進，在那清晨的突襲中，一股腦兒給日本鬼子的戰機炸個清光，根本沒來得及迎擊。這一著，可能是日本鬼子「出其不意，攻其無備」，但英國著名的海軍，也是不堪一擊，駐防在南海的兩主力艦「威爾斯王子」號和「擊退」號，應該是我們的主力防護，在新加坡遇

上日軍，開戰不久就被擊沉了。這麼一來，我們的海防與空軍力量根本就給徹底瓦解了。

「英國人的軍隊，根本就不可靠。」沙老編唏噓的說：「日本人開戰那天，英國人仍堅信人家不會來犯，當飛機給人家炸了，晚上楊慕琦港督還廣播呼籲華人同心協力，抵抗日寇，但華人毫無軍備，又可以有什麼貢獻？」

連續幾晚，聽老張的朋友在議論局勢，初時覺得他們很有見地，但聽多幾遍，就發現他們只是用文藝腔來發牢騷，議論的觀點可能時髦，但統統沒有實際用途。聽悶了，想出去溜躂溜躂，沒想到警報又響起來了，今天的警報似乎又頻密了，聽聲音，分明有些炮彈是從九龍那邊遠距離地射過來的，難道他們已經攻佔了九龍，架起遠程重炮，向香港這邊轟擊？

忽然，啞刀子走到窗旁，似乎有些異狀，但這時燈光管制，外頭漆黑一片，也沒可能看得見什麼。也沒多久，就聽見樓下一陣猛烈的拍門聲，大家就開始緊張了，因為這陣子有不少爛仔結黨行劫，天一黑就很不安全。

第七章：大事件居然是不賺錢的

　　我和啞刀子當然不擔心，反而希望跑兩個倒楣賊進來，給我們散散悶氣。正想去開門，卻聽見門外那人問老張是否住在這兒，原來是來找老張的，似乎也沒有什麼好玩的了。

　　進來的原來是幾天前見過的歐陽，那個阿立也跟在他後面，看來是當了他的跟班。我看清楚這個阿立，倒是眉清目秀的書生模樣，沒有早前的狼狽貌。我跟他說：「找到工作了吧！」這個傢伙也是古怪，居然熱情的拉著我說：「我找到工作，也找到了人生，真的要多謝你，我現在才明白做人有什麼意義。」

　　我上次揍了他一頓，也不算太重手吧，怎麼把他打傻了？我看見他襯衣上還有些許血漬，敢情還是我前幾天打的。我便問道：「怎麼你還穿著這血衣？該回家換衣服嗎？」

　　阿立卻說：「先別管這些小事，你一定要聽聽歐陽的，他那件大事可意義重大了！」

　　說得那麼神，我可也真好奇了。卻見歐陽神色凝重的來到老張面前，跟他說：「那件事真的要開始了，我昨天見

過廖承志秘書長，原來周恩來副部長雖在重慶，也掛心香港的事，給他發了電報，其中一項，就是我跟你談過的事情。」

老張臉有難色，道：「這事我也作不了主，實不相瞞，我和我家老闆失去了聯絡，正想找你打聽。」

「有這等事！！別擔心，我們線眼多，要找幾個大老闆不是難事，反而，我們要籌辦的事可迫在眉睫！」歐陽說得急，果真有些驚天動地的氣魄。

老張無端的望了望我，又欲言又止的在嘆氣。

我這可真的忍不住了，便道：「我這幾天也沒有問你，究竟說的是什麼大事，現在看你這副德性，敢情還跟我有關係，你還是坦白的說出來吧。」

老張未有反應，歐陽就搶先說：「陸兄弟是山上來的？」

這時，老張也只好解釋事情的始末：「早陣子，我們和你師父見過面之後，小史見識過你們的身手，覺得非常興

第七章：大事件居然是不賺錢的

奮，有時喝多兩杯，難免就跟人家吹噓，說自己將會有一支精兵保護，即使日本鬼子來到也不必擔心。」

我心忖，幸好沒有告訴他，當日所謂的高手如雲，其實只剩下我和啞刀子兩個。

「有一次和歐陽吃飯，酒過三巡，他又說起這個。」老張繼續說：「歐陽見識廣，一聽就認得是你們天來寨的功夫……」

我糾正他說：「我們是天來會。」

老張繼續說：「對對對，是天來會！歐陽當時就跟我說，日本人即將侵略香港，所以要盡快把一些重要人仕送走，希望請你們護送。」

「呵呵，你就是怕我們去了幫歐陽辦事，就不理你了？我們天來會是守信諾的，你可不要以小人之心度君子之腹。」我口裡說得漂亮，心中卻在盤算，反正大小史不見了，我換個老闆又有何妨？

阿立忽然又來插口：「那些的確是重要人仕，你猜我這幾天見過誰？我前天見過鄒韜奮，昨天見到梁漱溟，我作夢也沒想過會見到這些大人物！」

「很有錢的嗎？」我這句話差不多問出口了，幸好忍一忍，否則大出洋相，沙老編的反應比我快，先一步說道：「都是文化界舉足輕重的人仕，的確，是要先保住他們！」

頓了一頓，沙老編可能知道我和啞刀子沒聽懂，又繼續說下去：「這幾年，國內亂事多，逃到香港來的，除了商家比較多之外，還有不少文化人，我自己估計，現在留在香港的知名文化份子，應有幾百人之多，都是我們的精英。」

我忍不住問：「這個我就搞不明白了，現在打仗時候，最要緊的是槍杆子，找軍隊去對抗敵人，寫文章搞藝術的，只怕是太平盛世才需要的嘛！」

沙老編似乎早就知道我會這樣想的，馬上便答道：「在戰場前線，短兵相接的時候，當是是槍杆子決勝負吶！不過，打一場這麼大規模的戰爭，不是一戰定輸贏的事。要決

第七章：大事件居然是不賺錢的

勝負，有很多實力，其實積存在民間，如果全國上下齊心，共同抗敵，日本軍隊就沒有那麼容易得逞，故此，日本人很重視宣傳戰，他們擔心我們的文化人，會激起全中國人民的抗日情懷，他們便難以攻打我們。你有沒有聽過梅蘭芳的事情？他是中國著名的戲曲大師，最拿手反串演女主角。前年來了香港，今年才回上海，日本人想他演戲，以示日本軍也懂我們的文化，你道他怎樣回應？」

我實在想不明白這中間的道理，便說：「還不是演個戲罷了，就應該收貴一些酬勞，然後捐出來做軍費。」

沙老編卻說：「他就是不想樹立一個可以和日本人交朋友的榜樣，結果，他蓄鬍子，宣佈從此不再演出，讓大家知道他和日本勢力一刀兩斷的決心，這件事引起了全國人民的注意。」

歐陽趁這機會又加一句：「那就是寧願餓死，也不吃日本人飯的決心！」

我心中明白，歐陽這樣說，是趁機會說服我們去幫助

他，幹他那件大事情。不過，也不知道是什麼原因，我聽到這兒，心中忽然生起一種激動，就是那種「男子漢本當如此」的感覺，真奇怪，那個姓梅的，明明就是一個扮女人的戲子罷了，怎麼會比我們這些綠林好漢還更好漢？

我沒說話，卻看到啞刀子正在望著我，分明他也有這種「不能坐視不理」的衝動。

沙老編卻繼續說下去：「日本鬼子來了，英國兵又沒認真抵抗，如果這群文化人真的給鬼子們抓去，我們就沒有了喉舌，看到了什麼問題，都說不出聲來。」

聽到這兒，啞刀子的眼神更是明顯，我一時未拿定主意，隨口道：「不是說英國軍人天神似的嗎？又說這些洋人軍隊，來到東方從來未輸過一仗？」

沙老編說：「今時不同往日，英國兵就是沒有準備要好好打這場仗，更要命的是，一直都在麻痺老百姓，讓我們覺得打仗的地方很遠。你知道嗎？我們寫報紙的，受到新聞檢查處的留難，不能寫任何主張加強抗戰力量的文章，不能

第七章：大事件居然是不賺錢的

以『敵』方來形容『日本』，只能稱之為『日方』，一切日本鬼子在國內姦淫擄掠的報導不能寫，這樣的英國政府，自以為持中立態度，就不受威脅，但利之所在，人家照樣打到上門來了。」

老張久未出聲，這時卻說：「英國如果是聰明的，應當迅速組織在港堅持抗戰的中國民眾，這兒有一百六十萬人口，到了重要關頭，自然起到作用。」

沙老編嘆了口氣，道：「這是殖民地管治，他們怎會把武力管治的權力下放到本地人手上？你想想，要是真的讓中國人帶軍，即使抵擋得住日本人，待日本人退兵了，英國人如何管治這班中國人？」

歐陽見時機差不多了，便說：「人生在世，不過匆匆數十年，我老了，難得在這時候有機會做一、兩件大事，好讓自己這輩子沒有白過。你們年青，大有作為，更是應該趁此機會，做幾件驚天動地的事情出來，顯一顯氣慨。」

老張忍不住說：「你還是打他們山寨的主意，老實說，

他們雖然武功好，但要護送那麼多人，面對日本鬼子的槍炮火器，可不是說笑的。我們本來是想，要在北角那邊較偏僻的地方，找個地方躲起來，再請他們保護，以逸待勞。」

歐陽說：「我們也不是要他們去正面挑釁日本鬼子，其實，我們擬好了水陸兩條路線，陸路一途正是取道大帽山，然後跨過深圳河，先去惠陽。只要去到深圳河，那邊自有接應，但在大帽山這一段，如果有山寨的人關照，就當然安全得多了。」

這時，我也忍不住答道：「山上也不單是天來會的地方，除我們之外，還有其他勢力，如果落到黃慕容那幫人手上，他們最喜歡幹些擄人勒索的勾當，比遇上日本鬼子更加危險。」

老張開始急了，便說：「但你們的人馬是要過來保護我們的嘛，怎能又回到山上？」

歐陽卻說：「我看哪，這時候留在香港也非長久之計，你們不如跟我們一起回國內，避一避風頭，如果日本鬼子佔

第七章：大事件居然是不賺錢的

了香港之後，沒有魚肉百姓，你們再回來也不遲。」

老張無奈道：「這個也不是由我去拿主意的。」

我便說：「就是嘛，現下找不到史老闆，我不瞞大家，我倆這趟下山，正是因為師父神機妙算，知道日本鬼子要來了，但山上槍炮火藥只夠日常應用，面對日本人可就不夠用了，所以派我們來支取保護費，先買一些槍炮，哪想到等了三、四天，還未找到史老闆的下落。」

老張還想說些什麼，我卻不讓他插嘴，說道：「現下我有個主意，老張戶口的現款也不夠，大家就籌一籌，讓我先買多幾柄長槍，回到天來會打點一切，再和幾幫綠林好漢打好招呼，好讓你們帶那些文化人過來。老實說，現在也不知道日本鬼子的戰況如何，如果那些文化人跟我們躲到山上去，憑我們對山上地方的熟識，要保大家周全，怎麼說也有幾分把握。」

歐陽還在想，沙老編就掏出一張一百元鈔票出來，我記得他連續幾天在嘀咕，說銀行不肯給他小鈔零錢，只肯給

他百元大鈔，哪知道他這麼熱情，馬上就掏腰包支持。

　　良久，歐陽開口了，道：「我去安排一些資金，明天送過來，我和阿立也想上山，開開眼界，我們明天一道走如何？至於聯絡香港的文化人，我們自有人手去安排，這方面也請沙先生幫一把，如何？」

第八章：沒聽見槍聲的一場戰役

坦白講，我也估不到一夜之間，歐陽真的會籌到錢來，不過，打仗時候，槍彈都貴了，只夠買三十支長槍和彈藥，當我們把槍械運到上山時，已經是十二月十四日了。一路走來，雖然說是山路荒僻，但路上完全沒有行人，也是少有的事。

到了「天來會」大本營，六姐立刻跟我說：「日本人來了！」

十八般也在，他說：「大前天有些兄弟在山上站崗，看見有大批英國兵由九龍那邊闖過來，初時以為是來找我們麻煩的，嚇了一跳，但他們找不到我們的山寨，馬上又向北邊去了。」

我說：「是的，日本鬼子的戰機五天前已經到了，一口氣打下了英國軍的飛機，的確是開戰了。」

十八般繼續說：「然後，我前天親自帶人去看，卻發現英國人又退回來了，沒多久，日本鬼子的隊伍就來了，那陣容可龐大了，我們當然保存實力，謀定而後動，不過，他們馬上又經過了，也沒發現我們的行蹤。」

我問：「他們這一戰激烈嗎？」

十八般反問：「什麼一戰？」

我說：「英國兵和日本鬼子呀！」

十八般卻說：「哪有開過戰？根本完全沒有聽到任何槍聲，那些日本鬼子兵就過去了。你們上山時，有沒有見過他們？他們經過時，那個聲勢也是蠻駭人的，不過，很快便過去了。」

歐陽的眉頭緊皺，我也知道事態嚴重，阿立忍不住問：「那麼，究竟有沒有開戰？」

歐陽說：「大家記得嗎？我們前天晚上，是不是開始聽到大炮聲？我相信那時，日本鬼子已經長驅直進，佔據了九龍半島，架起大炮來打香港島。」

我說：「有這可能嗎？英國兵也不抵擋一下？」

第八章：沒聽見槍聲的一場戰役

歐陽說：「這個我也不明白，似乎，英國兵不戰而退，故此，日本軍隊只用了三、四天的時間，就由深圳打到九龍，這個真的是始料不及。」

六姐卻說：「對天來會和附近的村落來說，這未嘗不是一件好事，如果他們真的在山上開打，我們就不可能置身事外，眼前所發生的，是他們來去匆匆，根本沒打算理會山上面是否有人家。現在我們有槍，將來有事的時候，尚可且戰且逃。」

我連忙介紹歐陽的來歷，和告訴六姐營救文化人仕的事情，剛剛把事情說了一遍，十八般馬上就說：「你們可沒看見日本軍隊的陣容，我們是沒法子對抗的，這事萬萬休提，咱們現在要想的，是如何自保。」

這個十八般，似乎真的當自己是寨主了，我見啞刀子把手伸到袖子裡，旁人以為他怕冷，我卻知道他在摸刀子，只要我說一聲，他的飛刀馬上就釘在十八般身上。我在想，啞刀子平日都是冷冰冰的，今天幹嘛這麼緊張？他真的覺得這個營救行動很重要！

歐陽卻說：「其實，我們只有這幾十柄槍，真的到戰場上去，根本不管用。現在嘛，英國人不是倚靠，如果你們全是男丁，尚可考慮去投靠日本人，但我看你們山中的女眷全部都清秀可人，卻又不是辦法……日本人在國內的禽獸所為，只怕你們都聽說過吧！」

六姐聽他說這些，明知他是危言聳聽，但可能也有些什麼方案，便微笑問道：「歐陽先生，你山長水遠把槍送來我們寨中，必然也有良策，我們現下靠不了英國人，也不恥與日本賊寇為伍，尚有什麼方法自保呢？」

歐陽正容道：「東江縱隊很快就到了，他們在廣東一帶，和日本鬼子周旋了這麼久，日本鬼子人馬雖多，但始終奈何不了他們，我們和東江縱隊聯繫，必有對策。」

我一聽這個，也忍不住說：「東江縱隊？不正是劉黑仔那遊擊隊嗎？這兩天來，你怎不跟我說？」

歐陽說：「營救文化人這件事，正是由東江縱隊籌劃的，我可能一時忘了告訴你們。」

第八章：沒聽見槍聲的一場戰役

十八般不耐煩地說：「怎麼兜一個圈，又是說這個，我不是說了要自保嗎？哪有餘力去救這個救那個的？」

阿立卻說：「請聽我一言，我也是早幾天才認識歐陽的，營救文化人的事，卻真的影響了當前整個中國，能夠號召全中國武裝抗日，我們就不怕再被人家欺負了。」

六姐的眼中滿是笑意的，我也搞不懂，只聽六姐道：「天來會的人都是中國人，更何況有東江縱隊為我們撐腰，小七，你回來的時候，有沒有去大夫那兒稟明我爹？我爹有什麼訓示？」

我當下意會到六姐的意思，便順著她的說話口風，接口道：「師父說他老人家抱恙，未能親自帶領我們參與此事，吩咐我們必須要協助營救。不過，也叫我們要量力而為，不要正面和軍隊衝突。」

十八般仍然不忿，怒道：「小七，如果你讓我發現你假傳聖旨，我必然叫你好看。」

　　六姐卻來打圓場，道：「大師兄，小七是自己人，怎會騙我們吶！而且，這番說話，和爹爹平日的教導也是一樣的，爹爹不是經常說我們生在這兒，沒法為國家做些什麼事嗎？現在有這機會，為國為民，爹有這樣的吩咐，也是正常的。」

　　我這時心中的疑惑，就是師父何時有這樣的教導了，難道他只教六姐一個？而且，早前才說是「非利不動」，怎麼六姐忽然又愛國起來了？莫非她看到有什麼利益？

　　不過，無論怎麼說，六姐的決定就是決定。我和啞刀子立刻帶二十個兄弟，跟歐陽回到灣仔，一方面交人馬給老張，去保護史家兄弟，一方面去駱克道老地方，研究營救的路線。而阿立呢？六姐反而留他下來，讓他了解山上的路線。

　　我後來才知道，六姐安排我帶去香港的人馬，都是比較親近十八般的，不過，十八般回來東寨監視黃慕容，根本不知道自己的勢力正逐漸被瓦解。

第三部分

見過日本兵，遇過遊擊隊

大營救
1942

第九章：鬼子不敢住鬼屋

　　我們回到駱克道大本營，已經是三天後的半夜。本來，我以為先去油麻地四方街，馬上就可以來到，豈知弄了許久才找到老邱。原來日本鬼子來到，他馬上把兩個閨女和兒子藏起來，但四條電船就給充公了三條，剩下一條他也藏到荔枝角灣去了，我輾轉到了 12 月 17 日中午才找到他，他見我們人多，要分兩次送我們過海，他說日本鬼子不好惹，萬事要小心，所以等到深夜才肯開船。

　　老邱把船藏到一個凹陷的石隙處，先把部份兄弟安置好，我和歐陽、啞刀子就在船上，問老邱這幾天來的狀況。

　　老邱說：「在上星期五（12 日）的破曉時，日本人就打到九龍來了，那時候，聽說碼頭只有三十個英國軍人，根本沒有還擊的可能。街上立刻就亂起來，日本人甚至架起兩門機關槍，向街上人亂掃。我們自己人也亂了，有些瘋狂去搶購米糧，有些索性鋌而走險，四處搶掠。我們買回來的大米給混入了沙，連滅火筒也滲入了火水，整個香港馬上就變得不一樣了。」

　　老邱聳了聳肩，說：「後來我就搞不懂了，日本人來

勢洶洶，英國軍隊明明打不過人家，但又不肯投降，倒算是有骨氣。日本人第二日就派了一隻小艇過海，去招降，但英國人卻堅決拒絕了。」

歐陽卻說：「英國人也真難懂，九龍不去好好守著，現在只剩下一個孤島，反而又守起來了。沒水沒糧，要守又守得多久？」

老邱卻從口袋中取出一份《華僑日報》來，我一看，報頭印著 12 月 15 日，即是前天的報紙。老邱說：「關鍵可能在這兒，老實說，現在的時勢，許多報紙停刊了，這份華僑報也很不容易才買得到。你們看，這裡說中日軍隊已在淡水接戰，中國軍隊自日軍背後進攻，日本軍現在腹背受敵，所以還是有希望的。」

我答道：「這樣說，英國人是指望中國軍隊來增援了，他們也真的不長進，不是說他們從來未在亞洲打過敗仗嗎？」

說到這裡，我看見歐陽的眉頭一皺，似乎另有顧慮，

第九章：鬼子不敢住鬼屋

我連忙問他是否想到什麼破綻，他卻一再推辭，說是道聽途說一些消息，並不可靠。我們見他態度堅決，也不強人所難，也便作罷了。

　　當天是農曆廿九，既無月色，兩岸也戒嚴而沒有燈光，老邱靜悄悄的載了我們過海。我們先去駱克道，老張見我們有人有槍，馬上便把二十個兄弟帶去了北角，先要安他老闆的心。

　　這時已經是半夜三點了，沙老編聽見我們來了，也趕忙爬起來，他一見面就說：「日本人中午又來招降了，結果給港督楊慕琦迅速拒絕，他們心胸狹窄，下午四時開始，就不斷開炮轟過來，你們回來的路上太平嗎？」

　　「我們半夜才過來，倒沒有遇上日本鬼子。」我說。

　　沙老編又向歐陽問道：「你們的營救活動安排好了麼？我看事態緊急了。」

　　歐陽說：「山路靠小七打點，應該好辦，只是文化人仕為了避難，各自都不停的搬家，一時間並不容易找到，我明天才知道他們的聯絡情況。」

　　沙老編說：「有件事情想請你幫忙，最近，大公報、華商報、立報都被迫停刊了，我們打算聯合大家的資源，共同出版報紙，據說連英國情報部的主位麥道格（D. M. MacDougall）都希望我們繼續出版，來宣傳抗日資料，所以我希望和廖承志、范長江等見面。」

　　都是抗日的事情，歐陽自然答應代為引見，這些出版的事情我完全聽不懂，也沒有放在心上。

　　翌日清晨，就被警報聲吵醒，日本軍的大炮果然不斷的轟過來。老張整天沒消息，只怕正在拿我的兄弟去討好老闆，我看那日本大炮的威勢，那廿個兄弟其實也不可能有什麼作為。

第九章：鬼子不敢住鬼屋

　　我和啞刀子無所事事，老邱卻寧願睡懶覺，歐陽卻可
忙了，不斷有人來找他，似乎要找那些文化人仕並不容易。

　　用過午飯等晚飯，我這個抗日英雄似乎不太稱職。午
後的炮火更猛烈，轟炸機也來了幾趟，聽說主要炸中環一
帶，他們說中環西環那邊是香港最要緊的中心點，日本人的
矛頭多半指向那邊。

　　英國人在香港山上的炮也打向九龍，使九龍多處起火，
我們遠遠望過去，也看見火光四起，我心忖，他們轟得中
的，只怕都是民居。

　　晚上，電力忽然中斷，原因不明。

　　深夜裡，歐陽不在，我睡不著覺，便和沙老編、老邱
等聊天，啞刀子也在看著我們的無聊。忽然，「嘭」的一聲
巨響，大門給踢開了，十多個日本士兵走了進來。

　　為首的一個軍官，對著士兵嘰嘰呱呱的說了一大堆，跟著便有一些士兵過來，把我們趕上樓去，敢情他們想佔用這幢洋房，見我們只是兩個老傢伙跟兩個小廝，也沒有殺傷力，便趕走算了，也沒有為難我們。

　　走到半路，忽然有個翻譯的把我們叫住，原來他們要我和啞刀子留下，服侍他們開床疊被，燒水沏茶。

　　翻譯的又叫我們去多取些蠟燭來，照得燈火通明，原來他們在東岸的筲箕灣登陸了，那邊根本沒有防守，所以他們馬上便佔領了香港東邊幾個地方，電力廠的人都逃光了，自然就斷了電。我當時在想：大家不是一口咬定，日本人必然會攻打中環西環那邊嗎？怎麼我們的軍事估計次次都估錯，這場仗，哪還有得打下去？這時候，我一下子尚未弄得懂北角離筲箕灣有多遠，更不知道那二十個兄弟境況如何，只希望老張別派他們去幹危險的事。

　　蠟燭點好了後，我和啞刀子被他們呼來喝去，這個要喝茶，那個要洗臉的，我們只恨自己沒帶些毒藥在身。那個軍官居然在大廳鋪開一個陣式，磨墨寫起大字來，我好奇心

第九章：鬼子不敢住鬼屋

起，偷眼去看，原來他在寫：「香港攻略之夕，前進指揮官駐足此家。」十五個大字，還在上面蓋上「日本皇軍」的印章，然後，那個翻譯走過來，叫我們把這通告貼到大門外面。

我的手還未碰到那張紙，那軍官就罵了那翻譯一頓，跟著，才有兩個士兵到來，畢恭畢敬的把那通告托起來，拿到外面貼好。我心忖，這些日本軍人的確有自己一套軍紀，貼一張通告也有規矩，看來，他們打仗的確是有學問的。而且，那軍官雖然不懂說漢語，但寫出來的字，只怕比教書先生還要好，也真的不是等閒人物。

老實說，我不知道他們會在這兒住多久，也真的有點擔心，因為這兒的屋主是個米商姨太太，尚有幾個女眷，雖然不是青春少艾，但都有幾分姿色，現在全都擠在樓上，難保不會被他們發現，日本鬼子在國內的獸行，我們聽得不少，絕不希望有機會親眼目睹。

這時，我私下有一個計劃，看看是否可以把他們嚇走，首先，趁我還要替他們倒茶抹枱，乘大家不備，將幾個士兵的隨身物件，什麼墨水筆眼鏡甚至剛脫下來的襪子，都偷了

過來，然後又放到其他士兵的袋中。要知道這門妙手空空的
功夫，取物不難，放回去就難了，師父教我去取人家口袋裡
的銀包，只不過用了一年的光景，要達到這種「偷放自如」
的境界，卻足足花了三年的苦功。

等了一會，我發覺有一、兩個士兵發現不見了東西，
卻未敢揚聲。我這時和啞刀子縮在角落，數一數，總共有六
枚蠟燭。我示意啞刀子出手，去把蠟燭一次過打熄，豈知
他從袖子取出飛刀來，我連忙阻止，要是讓日本鬼子發現飛
刀，就一定知道是有人做的事。

我在角落中摸到一把棋子，是傍晚時沙老編和老邱下
棋時用的，本來就未有收好，日本鬼子撞門進來時，把我們
的棋盤收了，有些棋子就散落地上。我把六顆棋子遞給啞刀
子，他放在手心掂了掂，重量可以掌握，便趁大家的注意力
不在我們這個方向，一口氣把棋子擲了出去。

啞刀子的飛刀，練得比師父還夠火候，擲出去時疾如
流星，卻不帶半點聲音。而且，棋子只打熄了燭光，卻沒有
打跌燭檯，大家只覺眼前一黑，沒法弄清楚發生什麼事。

第九章：鬼子不敢住鬼屋

這時，由於停電，又沒有月光，窗外也是漆黑一片，士兵們不能視物，軍紀再好也難免心亂，加上有人不見了貼身的東西，又有人發現身上有別人的東西，就開始嘰嘰喳喳的吵起來了。

我憑著苦練而來的視力，在極暗的環境下，其實也看不清楚，只能憑記憶，認住本來的方位，輕手輕腳的走去大廳桌子旁，一手抄起那軍官的毛筆，在桌面的紙上寫了兩個字，又馬上走回原本那角落裡，蹲下來。

那班日本鬼子，也沒吵很久，便又把蠟燭點起來了。我聽不懂他們說什麼，但也看得出他們發現自己的貼身物件，走到了去別人的口袋裡，怎麼說也會有點心中發毛吧？他們說話的語調也比較誇張，雖然沒有什麼肢體動作，但也聽得出他們有點慌亂。

我最想看的，是那軍官的反應，我在他枱面寫了「填命」兩個字，想來一定可以令他以為此屋鬧鬼。本來，我打算寫「殺人填命」或「我死得好冤」之類的，但不敢逗留太久，只敢寫兩個字算數。

　　我看那軍官眼神，知道他一定看到桌上的紙張，有這兩個字，在他的角度來看，能夠有人在他身旁寫字，也不被他察覺，不是鬧鬼是什麼？不過，事與願違，只見他趁其他士兵沒留神，一手把那張紙撕掉了，還神色自若的跟其他士兵訓示了一番。說也奇怪，本來那些士兵已經開始燥動，聽他說了幾句話，竟然都冷靜下來了，我計謀沒得逞，當然有些懊惱，但真的令我擔心的，是看到這些日本鬼子，原來管治得那麼嚴，果然不易對付。

　　我和啞刀子蹲在角落，也不知該幹些什麼，忽然，那個翻譯又走過來，問道：「你兩人一直住在這裡？」

　　我答道：「好幾年了。」

　　那翻譯再問：「這裡有什麼古怪事情沒有？」

　　我一直裝得害怕，這時當然繼續裝，扮成什麼也不敢說的樣子，跟他說：「也不就和平日一樣……」

　　那翻譯最後問：「這屋死過人嗎？」

第九章：鬼子不敢住鬼屋

　　我用有點失控的語調說：「我不知道！真的不知道！」一邊說，還在一邊往角落的盡頭處擠，連我自己都覺得逼真。那翻譯見問不出什麼來，惟有回去又附耳在軍官耳邊說了些什麼，也不知道他們有什麼打算。

　　好容易才熬了幾個小時，我由緊張得不敢眨眼，熬到忍不住打瞌睡。忽然又被那些士兵吵醒了，原來他們見天色差不多亮了，又開跋到別的地方去了。

　　待到翌日下午，歐陽帶了另一個瘦削男人過來，兩人在外面探頭探腦的，我便出去把他倆拉了進來。原來他們看見昨晚日本鬼子貼在外頭的告示，不知道日本人是否在這兒，更不知道我們是否平安。

　　於是，我便把事情的始末告訴他們，大家聽後都嘖嘖稱奇，更說八成是我扮鬼嚇跑了鬼子，所以他們馬上便逃跑了。

我說：「這張爛紙貼在門口，太晦氣了，待我去撕它下來。」

我還未起步，那個瘦子便把我叫住，經歐陽介紹，這個瘦子叫潘靜安，雖然只是廿來歲，但已經是八路軍駐港辦事處的人，似乎大有來頭。他說：「這個通告就留在那兒吧！可能，連日本鬼子也像剛才一樣，以為有個指揮官在這兒，不來騷擾我們，對我們將來的行動大有幫助。」**（註 9.1）**

後來，潘靜安真的去了找業主，把這幢洋房的二樓全層租了下來，開展營救行動的工作。

可公開的情報

註 9.1　潘靜安，1916 年出生於香港。1938 年加入中國共產黨，並在八路軍駐軍辦事處工作。1941年香港被日軍攻陷後，中共中央指派廖承志營救旅港的文化人，潘靜安負責港島區的營救工作。潘靜安在灣仔駱克道租下了一層洋房，作為具體部署偷渡行動的聯絡點。由於洋房外面貼有「日本皇軍」的通告，那些漢奸流氓以為有什麼來頭，都不敢進去滋擾。

至於那隊日軍人馬，為何只住了一晚便離開，則未曾找到史料說明；而蕭七扮鬼的插曲，當然是小說家言，純粹創作。

許可

第十章：淪陷那天，我竟然不在現場！

連續幾天，歐陽也在奔波，我本來以為馬上會帶些文化人仕上山，豈知他們居無定所，一時難以聯絡得上，所以也未能成行。不過，潘靜安大哥就不時過來打點一切，又水路又陸路的安排偷渡路線，看他指揮若定，果真的是個人物。

12月22日那天，老張氣急敗壞的走了過來，老實說，一直沒有見過他，也真要問問我那班兄弟的狀況。豈知，他自己一口氣的說了一遍他的經歷，還不時大喊「嚇死我了！」居然令我插不了口，問他問題。

原來大小史和另外三個富戶，本來在北角山上買了兩套大宅，豈知日本人就在那邊登岸，他們嚇得連夜就搬了去跑馬地的家。這陣子，有不少流氓地痞來騷擾搶掠，也有些漢奸來敲詐，幸好大小史帶了幾個山上的兄弟，也沒有什麼損失。

哪知道，昨夜八時許，居然有一班日軍來到，老張曾留學日本，懂得日語，便開門招呼，好讓保鏢們護送大小史去隔壁，暫避風頭。

進來的有十多個日軍，先索食物，但又怕老張下毒暗算，每一種食物都要老張自己先嚐一口。老張說現在食物給他們吃清光了，明天就要捱餓，那班日軍的頭領卻說不怕，他們有米。結果，他領著老張出去，在距離不遠的另一家人那裡，說裡面有米，可以隨便取走。

老張走進去，手電筒一照，見到地下躺著一堆屍體，一、二、三……七、八，起碼有八具之多。老張這一嚇非同小可，推說米重，拿不動，踉踉蹌蹌地跑了回來。

那班日本鬼子留了幾個小時，取了許多物資，最後居然問他有沒有「花姑娘」。老張有準備，帶他們去看那幾個老女傭，推開房門給他們看，然後又連忙把門關起來。老張跟他們說，這裡沒有年青女人，都是上了年紀的奶奶，希望不要驚嚇她們；並說自己已經盡力招待，希望對方也可以優待一些，結果，他們才沒有堅持，半夜走了，又不知去難為哪一家人。（**註 10.1**）

老張說可能跑馬地一帶已經淪入日寇手中，所以大小史已經舉家往中環那邊逃跑，他自己則過來看看我們有何打

第十章：淪陷那天，我竟然不在現場！

算。沙老編也說，英軍和印度軍人，還有一些加拿大士兵，死守在半山馬己仙峽道已經有好幾天，不讓日軍進佔半山及山頂地區等英國人居住的地方，但恐怕也支持不了多久。

歐陽插口說：「我們其實無險可守，電力斷了之後，供水也出問題，許多地方的水都是靠電力抽水機的，於是就要外出討水，遲些連水塘也被攻佔了的話，香港不降也得降。」

我忍不住截停大家的討論，問道：「我那二十個兄弟呢？」

老張吶吶地說：「史家分了八個，現在一起去了中環，都安好，這個你放心……其他十二位，被另外三家人分走了，暫時未聯絡上。」

我一下子急怒攻心，也不知道該怎樣罵他一頓才好，只截指道：「你也知道危險，舉家逃亡，怎不打聽一下那三家人的下落，跑來這兒作啥？」

老張也知理虧，便道：「這是我的不對，我事前也沒

想到老闆會把保鏢轉讓給其他人。不過，這個時候，我覺得再逃也不是辦法，所以來找你們商量，看看有什麼出路。」

沙老編插口說：「我早陣子因為計劃把幾份報紙聯合出版的事，和情報部的 MacDougall 先生有聯繫過，報紙未辦得起來，但我有和他建議過，用小船偷渡幾千中國軍人過來增援，先搶回九龍半島，截斷日本人的補充，香港之危馬上可解。因這緣故，我中文信英文信都寫過給香港政府，只是不知道，中國的軍隊是否可以支援。」

我聽沙老編說這話，也覺得很有道理，便說：「這也是一個辦法，而且，香港也有人，只要有槍，中國人也可以打日本鬼子，不用靠英國兵。」

豈料，歐陽嘆了口氣說：「只怕事情不是這麼簡單……」

看見歐陽這個表情，我馬上想起他前幾天也是這副樣子，當時又是欲言又止的，我連忙叫他說出他的想法。

第十章：淪陷那天，我竟然不在現場！

歐陽說：「其實上任港督羅富國，一直都是擺出一副空城棄守的態度，他前年 1940 年已經開始把洋人婦孺遷走，那是公開的秘密。現任港督楊慕琦，其實是九月才正式上任，只上了三個月的班，本來就不期望他會帶來什麼改變。」

沙老編卻說：「如果說他想棄守香港，為什麼連續兩次拒絕投降？」

歐陽說：「我們試試在英國人的立場看，這場仗雖然一定輸，但德國日本意大利這個所謂『軸心國』的組織，未必勝得了這場大戰，日本人 12 月 8 日攻打我們，其實同時也去攻打了美國，偷襲了珍珠港。招惹了強大的敵人，勝負之數未可預料。所以，英國人即使今次輸了，在大戰之後，很有可能向日本討回本來屬於他的香港；不過，假使是中國的軍隊趕走日本人，英國政府就很難在中國政府手上取得這個地方。**（註 10.2）**

我說：「原來還有這一重考慮！那麼說，中國軍隊越近，英國人就越會加快投降？」

歐陽說：「這個只是一個猜測，我們也沒有真憑實據。但也可能因為這個原因，楊慕琦雖然註定了要揹這隻黑鍋，不過，他認真地反抗，出過力，將來要取回這個殖民地就更有理有據。」

沙老編明顯是不同意，但歐陽事先聲明，只是憑空猜測，他也不好爭辯下去，只擺著一副不以為然的表情，便算了。

當然，我們在座四人，誰也沒法預計得到，三天後的聖誕節，港方忽然樹起白旗，香港正式淪陷。

香 – 港 – 淪 – 陷 – 了！

其實，在淪陷的前一天，我已經回到山上了，所以，我其實是後來才知道，原來香港已經淪陷的。12 月 24 日，潘大哥說時機已經成熟了，派我和啞刀子回山上打通關係。老實說，我不明白有什麼關係要搞的，先說黃慕容，他和天來會兩大勢力，似乎又沒有合作的餘地；再說其他土匪幫

第十章：淪陷那天，我竟然不在現場！

派，都是些烏合之眾，小打小鬧還可以，我們天來會要保的人，難道他們還敢來搶？

不過，潘大哥告訴我一件事，原來廣東人民抗日遊擊隊的隊伍已經來了，曾鴻文的部隊尾隨日寇，進入了元朗地區，一方面維持治安，另一方面打擊投靠日軍的漢奸。曾鴻文這名字我有聽過，是對抗日本鬼子的主力，我最想知道的，其實是少年神槍手劉黑仔，是否在他部隊之中。我們幾師兄弟往日經常聽劉黑仔的傳說，除了槍法如神之外，還神出鬼沒，是我們極崇拜的少年英雄。三師兄常掛在口邊的「平生不見劉黑仔，哪敢人前稱英雄」，也的確是我們幾師兄弟的共同回憶。

故此，我和啞刀子義不容辭，馬上便起行，為曾大哥打點一切。

我們和歐陽，乘老邱的船，破曉時份已經出發，到了九龍之後，便馬不停蹄的去到元朗十八鄉的大棠村楊家祠。

原來，遊擊隊早就到了，以這裡作為他們的臨時根據地。

甫一到埗，就有兩個大約廿歲左右，壯實青年出來迎接，兩人分別姓鄧和姓鍾，雖然都是長得黑黝黝的，但都不是劉黑仔。原來曾大哥不在，但他們都知道歐陽的來歷，對我們頗為客氣，不過，當他們知道我和啞刀子是天來會的人，馬上就變得很有戒心。

「不用多疑，蕭兄弟決心幫助我們這次行動，以他們在這一帶的影響力，對我們有很大的方便。」歐陽這樣跟他們說。

看得出，他倆有點半信半疑，也不知道他們是不信任我們山上的好漢，還是不信任我們兩個小伙子可以替天來會拿主意。關於這個，我倒無所謂，歐陽卻有點緊張，把我帶他上山，扮鬼嚇走日本兵的故事，繪影繪聲的說了一遍，人家才有點相信了。

然後，那個小鄧便說：「曾大哥帶了些兄弟，去掃盪這附近的土匪。目前，日本鬼子在這一帶不算活躍，但就來了不少漢奸。」

第十章：淪陷那天，我竟然不在現場！

小鍾也說：「我們想拉蕭黃兩幫……」我聽得出他們想說兩幫土匪，但還好，他沒有對著和尚罵禿驢，終於還是改口說：「……兩幫人馬一起，商議這椿營救行動。」

我說：「我不會去黃家寨，他們也不來天來會，惟有找一個兩不相干的地點……這樣吧，約他在大帽山的觀音廟談判，那地方沒油水，我們兩家都不希罕，現在算是老梁的範圍，老梁人馬少，不會有什麼古怪，可以放心談。」

小鍾說：「曾大哥也說應該先禮後兵，那麼我們先具拜帖，去邀請黃慕容，天來會這邊就靠蕭……先生了。」三言兩語，就由土匪變成了先生，也算是有點成果，於是，歐陽留下來等曾大哥，我和啞刀子先回天來會。

臨走之前，我忍不住問：「劉黑仔是不是在你們隊伍之中？」

他倆卻不肯正面回答，只說：「他神出鬼沒，我們聽說他現在在西貢那邊的隊伍，但他忽然又可能會過來，也說不定。」

　　回到天來會，六姐和阿立馬上拉住我問香港的情況，我便把那種炮火連天，一日五次警報的情況仔細說了一遍，說到英國政府有可能投降時，大家都覺得無奈。我們明明有心有力，但要降抑或要戰的抉擇，根本不是由我們掌握；英國的官老爺，考慮些什麼，我們根本無法過問。

　　我問六姐：「要和黃慕容談判，你覺得他們會是怎樣的態度？」

　　六姐說：「姓黃的只想著自己的地盤，我不相信他們會考慮什麼抗日救國的問題。不過，抗日遊擊隊的名頭響，他們也的確雷厲風行，殲滅了幾路小幫派，他們犯不著搞對抗。反正，遊擊隊不會跟他搶地盤、爭生意，只是暫時開通一條營救路線罷了。」

　　我說：「我只是擔心他趁我們不備，來搶我們的地盤。」

　　六姐說：「也是的，我們一直說爹在養病，他遲早發現

第十章：淪陷那天，我竟然不在現場！

我們外強中乾，我們也可以趁這一時機，拉攏遊擊隊⋯⋯」

阿立竟然插口說：「遊擊隊也有他們的立場，未必會插手幫會之間的地盤爭奪。」

這時，我的確有點奇怪，阿立這傢伙，竟然也來插口天來會的事？但六姐卻不以為忤，只道：「你說得也對，我也知道不可能要遊擊隊支持我們，不過，要是我們看似和遊擊隊靠攏一點，可能也會令姓黃的有所忌憚。」

頓了一頓，六姐忽然煞有介事的跟我說：「我現正慢慢削減十八般的人手，我們藉此機會，可以把人手調回來，再等時機處理他。我想另外交托一件任務給你，營救文化人的事，你參與多一些，可以的話，索性帶些兄弟去當兵好了。」

我眉頭一皺，問道：「六姐的意思？」

六姐說：「如果日本人佔了香港，我們不知道他們的政策怎樣，以前的英國人不理會山上這一帶，我們自然逍遙快活，如果日本人認真來打，我們支撐不了多久，所以要謀些出路。」

阿立說：「這叫進可攻，退可守，打好遊擊隊的關係，總是錯不了的。」

六姐又說：「而且，這幾條村愈來愈窮，我們的生意愈來愈沒油水，所以爹才讓你們去當保鏢嘛。」

阿立居然又說：「山上的生意是食之無味，棄之可惜……」

老實說，我實在聽不進去，我是否不應該帶阿立上山，聽他們一唱一和的，反而我倒像一個外人了。

第十章：淪陷那天，我竟然不在現場！

可公開的情報

註 10.1 ： 這段見聞取材於薩空了的著作《香港淪陷日記》，書中敘述他在 12 月 22 日，遇見已故《申報》老闆史量才的兒子，史詠賡。當時史住在跑馬地附近的藍塘道，的確有這一段經歷。不過，本故事的大小史和老張都是創作人物，和史詠賡並非同一人。

薩空了（1907 – 1988）原名薩音泰，蒙古族人，是中國著名的新聞工作者和文學家。曾任職《北京晚報》《世界日報》等，抗戰時期來港創辦《立報》並任總編輯。

許可

可公開的情報

註 10.2 ： 關於英國政府的考慮，認為「即使被日軍佔領香港，等到戰事完結，英人仍可以討回統治權；但若然由中國軍方進入香港境內，即使成功抗日，這個殖民地的主權便有麻煩」的說法，的確有不少書籍提及。故此，成書之前，特別於 2017 年 5 月 10 日，於新城電台訪問歷史專家邱逸博士，得知暫時尚未有文獻證實此事之真偽，一切純屬推測。不過，既然作為小說創作，也值得提出來，供讀者參考。

許可

第十一章：平生不見劉黑仔，哪敢人前稱英雄！

天來會和黃家寨是世仇，一直以來，我們腦海中的想象，雙方一見面，就一定瞪眼睛拔刀子，哪想得到，會相約在觀音廟談判？觀音廟建在山上面，視野遼闊，雙方帶多少人馬來，一目了然，也不容易埋伏，選對了地方，大家不用太多忌憚。

當然，雙方也帶足了兵馬，我們這邊來了二十個兄弟，配備步槍短火，他們那邊也是差不多。持槍的兄弟當然不會入廟談判，只負責在廟外守衛，入廟的每一個人也經過對方搜身確保沒帶任何武器，這也是江湖規距，大家都不以為忤，他們特別派了個女的，來搜六姐，我們這邊，當然由我出手，要確保對方身上沒古怪，由我這個神偷出手，當然最清楚了。

我們這邊由六姐帶領，十八般、我、啞刀子和會中兩個老隊長一起進場。黃慕容那邊也是六個人，我們雖然只是第一次見到黃慕容，但還是一眼就知道是他，壯大的身軀、聲若雄鐘、雙目有神，很典型的一種江湖好漢。

我們事前跟東江縱隊約好，先待我們兩幫人馬會面，

摸摸底，一個小時後，東江縱隊才進來談判。

　甫進場，雙方就各忙各的，分別把自己帶來的酒食攤了出來，一面飲酒一面說些客套無聊的話。我總覺得這些細節浪費時間，但十八般卻堅持這是江湖體面。大家瞧，各自吃自己帶來的，又不敢去碰對方帶來的食物，根本就沒有意義。

　好了，各自喝了點酒，吃兩片肉乾，黃慕容就開始說話了：「蕭姪女，聽說你們早就搭上了東江縱隊，現在是給招安了吧。」

　六姐冷靜地答：「日本鬼子來了，怎樣說也說不上一個安字吧！我倒想問黃叔叔，被日本鬼子入了城，生意還做得下去麼？」

　黃慕容大笑道：「只不過是英國人換了日本人，生意還不是一樣要做？人人都說日本人可怕，我就不知道有啥要怕的，難道老蕭年紀大了，膽子反而小了？」

第十一章：平生不見劉黑仔，哪敢人前稱英雄！

六姐道：「家父常說，英國人佔了我們的土地，尚還客客氣氣的，也算給足面子，我們沒必要和人家計較。日本人就不同了，去到什麼地方，都是弄得民不聊生，老百姓比我們還要窮，我們去哪裡做生意？」

黃慕容說：「老蕭就是多顧慮，我說嘛，日本兵再麻煩，也沒有遊擊隊難纏，他們分明就衝著我們來幹，有幾路山上的好漢，都給他們打下來了，你跟他們一起廝混，我看哪，就叫作與虎謀皮，沒有好結果的。」

六姐說：「遊擊隊打正旗號維護法紀，我們講的是替天行道，大家看似是道不同，但所圖謀的，一樣是各條村安居樂業。黃叔叔，我們收的保護費，也是衡量過，村民們負擔得起的數目；會不會是你那邊收得太多了，動不動就謀人家的皮。」

黃慕容眼中閃過一絲怒意，說道：「女兒家總是牙尖嘴利的，怎麼了？蕭家的男丁不懂說話了麼？」

我連忙賠著笑臉，過去斟酒。我當然是取黃家寨的酒

來斟給他們了，一面斟，一面說：「師父病了，現在最知道師父心意的，當然就是他的親女兒吶，師父未回來之前，天來會的規矩變了女人說話，男人幹活……咦你這酒好香咧，大師兄喜歡喝，不如也賞一杯給我們大師兄好嗎？」我一說完，就把酒瓶拿過。

十八般連忙喝止：「小七別胡鬧，快把酒還給人家！」

我口中說：「我以為你喜歡喝黃家寨的酒嘛。」一面說，一面又把酒放回桌上，一不小心，濺到那邊兩個大漢身上，我連忙拉長衣袖去幫人家抹乾淨。

黃慕容不滿地說：「一個女兒家用說話諷刺我，一個小孩子又來發酒瘋，你們姓蕭的今天是存心消遣老人家來了。」

六姐馬上說：「小七，你今天見的是大人物，不可像平日般胡來，還不快向黃叔叔道歉！」

我馬上說：「黃叔叔大人不記小人過，不會為難我的。

第十一章：平生不見劉黑仔，哪敢人前稱英雄！

黃叔叔，我回去了。」說罷，馬上返回本陣，坐在啞刀子身旁。

黃慕容也懶得浪費時間計較這些，便道：「世姪女，你始終都是女兒家，不方便管江湖事，我看吶，老蕭年紀大，也不該操勞，妳和十八般一對璧人，不如早日成親，黃叔叔替你們當媒人。」

六姐笑道：「黃叔叔快人快語，但十八般和你連成一黨，居然沒有把我們不能成親的原因告訴你嗎？」

黃慕容望著十八般，眼神充滿疑惑。

十八般連忙耍手，說：「沒有的事，六妹她……另有心上人，所以不想和我成親。」

黃慕容卻說：「有這等事？但山寨總要有個主兒，中國人長幼有序，那麼，十八般就該出來當家了。」

六姐道：「家父也是這樣打算，大師兄沒有跟你說嗎？」

　　黃慕容更是疑惑，霍然站起，瞪著十八般說：「有這等事？」

　　十八般悚然一驚，也站起來道：「這事有點複雜，一時三刻沒法說得明白。」

　　六姐又說：「大師兄，你串通了黃叔叔，打傷了爹，爹居然也原諒了你，可能，天來會的確是應該交給你的。」

　　黃慕容一拳打碎了他的茶几，大步過來，道：「你說那晚的身份沒有敗露，怎麼他們都知道了？」

　　十八般明顯是有點慌張的，但，大家都沒有武器，論拳腳功夫，他還有什麼好怕的？不過，看黃慕容剛才一拳打碎茶几的手勁，那股蠻勁，相信比天來會任何一個人都強。

　　六姐再說：「大師兄，爹連自己最心腹的人馬都交到你手上，你還是和黃叔叔說清楚吧，免得黃叔叔誤會，以為你還是他的人吶。」

　　黃慕容已經來到十八般面前了，只見十八般額上已經滲

第十一章：平生不見劉黑仔，哪敢人前稱英雄！

出冷汗了，黃慕容凝視了他一會，忽然哈哈大笑，轉身回到自己的位置，坐了下來，道：「差點著了女娃的道兒，十八般你師妹想老子出手殺你，我可不傻，否則剛才就一時衝動取你性命，算命先生一早有言，叫我切戒衝動，果然是對的。女娃兒想要你的命，你可留她不得，我看你還是現在出手吧！」

十八般望了望六姐，似乎拿不定主意。

黃慕容繼續說：「世姪女，你也是聰明反被聰明誤，我們雖然沒帶武器，但我們六個加上十八般，要解決你的兩個保鏢，可沒任何難度。」言下之意，就是覺得我和啞刀子沒威脅，只需要對付兩個老隊長就成。

十八般嘆了口氣，忽然走到大堂中，對六姐說：「六妹，我也是為勢所迫的，黃叔叔說得對，即使我不出來，雙方也是強弱懸殊。」說罷，懷中掏出一柄手槍來。

十八般是由對方搜身的，任由他帶槍出來不足為奇。我看見他持槍的手，不住在發抖，我相信他上次受的刀傷，的確是切斷了經脈，所以雙手並不靈光。

黃慕容喝道：「你還不開槍！」

其實，他是開不了槍的，他雙手的手腕，幾乎是在相同的位置，又釘上了啞刀子的兩把飛刀。槍呢？在未掉到地上之前，我已經一早竄到前面，把手槍抄到手，然後施施然的返回座位。

十八般望著插在手上的刀，當然不明所以，黃慕容更是一頭霧水。啞刀子索性把一排飛刀放在桌上，我們有刀有槍，形勢登時逆轉。

黃慕容驚愕問道：「你們怎會有刀的？」

六姐大笑道：「你又不問一問十八般怎會有槍？」

黃慕容盛怒之下，一拳打在他身邊一個大漢臉門上，即時發出一種骨頭碎裂的聲音，似乎真的給他一拳打死了。

我認得那個大漢就是替我們搜身的，正是他把手槍留給十八般的嘛！我便說：「黃叔叔，你也問清楚才殺人，真的

第十一章：平生不見劉黑仔，哪敢人前稱英雄！

不關他事的，是我搜你們身時，把飛刀藏在你的兄弟身上，剛才倒瀉酒時，又把刀偷回來，這手功夫叫『偷放自如』，是很少人懂得的，可能你老人家沒聽過。」

黃慕容一聽，更是一怒，瞪著剛才弄濕了的兩個大漢，吼道：「兩個飯桶，口袋裡多了幾把飛刀也不曉得！」兩個大漢噤若寒蟬，又不敢回嘴。

我再道：「黃叔叔，你小心又失手殺兩個兄弟，我只說把飛刀藏在他們身上，可沒說是口袋，這種刀又特別輕特別薄，他們沒可能發現的，怪不得他們。」

黃慕容也是一方梟雄，馬上收拾情緒，冷靜地道：「老蕭教得好，想不到我叱吒風雲幾十年，今天敗在兩個小孩子手上。好，今天我認栽了，你們有刀有槍，究竟想怎樣？」

六姐示意我們把刀槍收起來，然後道：「黃叔叔，我們今天是應東江縱隊的約，來談判營救中國文化人的事，哪有分成敗輸贏的。剛才我們是每邊六人，現在是每邊五個，一樣可以繼續談下去。」

黃慕容有點意外的表情，十八般卻像鬥敗公雞的坐在一旁。

我道：「我這陣子不停在香港九龍兩邊走動，日本鬼子的確比賊更凶殘，我們的日子，一定不會和以前一樣的了。一日不把日本鬼子趕走，大家都不會有安樂茶飯。」

黃慕容說：「世姪女，我們是做賊的，這些國家大事，不是我們的事。」

六姐說：「你們黃家寨的事，我們管不著，我今天第一件事要跟你說的，天來會的實力仍在，希望你不要來打我們的主意，我們兩家繼續河水不犯井水。」

黃慕容說：「這個當然，雙方硬拚起來，大家都有損傷，的確是無謂。」

六姐再說：「第二，天來會雖然是賊，但一定會協助東江縱隊去營救中國文化人，希望叔叔別趁此空檔來動我們的地盤。」

第十一章：平生不見劉黑仔，哪敢人前稱英雄！

黃慕容答道：「我黃慕容也是血性男兒，這個你大可放心。」

沒多久，遊擊隊的曾鴻文派了鍾清和幾個兄弟來到，大家談了不足一小時，就達成協定，我們這邊讓出通道，好等他們安排路線，由荃灣，經元朗，跨過深圳河，再抵達寶安遊擊區。而黃慕容也答應撤出，舊地盤，讓他們可以從西貢上船，從水路直往大鵬灣。**（註 11.1）**

我們這趟談判，暫時解決了黃慕容的威脅，也把十八般拉了下來，相信短期內，可說是無後顧之憂了。

回程時，我去看遊擊隊的裝備，發覺他們很有趣，每一個人配備的槍都是不同的，有新有舊，各有特色！我忍不住拉著一個小伙子，問他這是什麼原因。

小伙子答：「還有什麼原因，我們裝備不足嘛！撿到什麼槍便用什麼槍好了。」

我奇道：「兄弟說笑了，哪裡可以撿到槍耶！」

小伙子卻說：「我們的部隊尾隨日本軍南下，那些英國軍一碰就退，有不少臨時基地裡面，都有他們來不及帶走的軍火槍械，我們當然撿來用了。」

我道：「有這等事？但槍械型號不同，性能都不一樣啊！」

小伙子說：「是人開槍，不是槍開人！」他說罷，提槍向遠方瞄準，作勢，然後對我說：「我們子彈不夠，平時都是這樣練槍的。」

我呆了呆，還想再問，小伙子卻快步走開了。

到山腰時，阿立在接我們，六姐等人馬便回天來會；鍾清等遊擊隊員要歸隊去了；我則和啞刀子去元朗元朗十八鄉的大棠村楊家祠，會合歐陽；途中，小鄧跟我說：「劉黑仔居然肯教你槍，可能你們真的有緣。」

第十一章：平生不見劉黑仔，哪敢人前稱英雄！

我問：「劉黑仔來過嗎？」

「剛剛教你瞄準那個，就是劉黑仔嘛！」

我瞪大了眼，良久才說：「我還以為那個人只是胡謅的，怎麼竟然就是劉黑仔！」

可公開的情報

註 11.1 根據楊奇撰寫的《香港淪陷大營救》，當時的確有兩股土匪盤據大帽山兩側，東側的匪首叫黃慕容，西側的匪首叫蕭天來。曾鴻文為了打開新界到遊擊區的營救通道，派鍾清在大帽山的觀音廟與蕭天來、黃慕容談判，之後，不出幾天，兩股土匪就撤出大帽山這塊地盤。

本小說的蕭七等天來會人馬，全都是創作人物，但觀音廟之會，卻真實發生過。

許可

大營救
1942

第四部分

營救行動由這兒開始

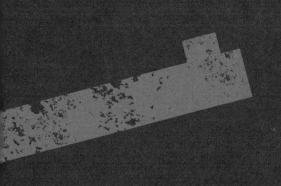

HONG KONG 1942 PAID

第十二章：一路順風的營救

回到駱克道大本營，潘大哥已經把這裡打造成一個營救中心，每一個被營救的文化人，都先來這個聯絡點集合。潘大哥先會親自把由九龍前往東江遊擊區的路線、路上需要知道的細節等等，跟大家仔細說一遍。然後，又會給每人準備一個小包袱，一套不起眼的「唐裝」，讓大家盡可能打扮得像一個「難民」的模樣，混在疏散回鄉的人羣中，比較容易過關。

原來，日本人嫌香港人太多，想把低下階層的窮人趕回大陸，甚至正式在報章上刊登，發起「歸鄉運動」，第一期目標要疏散三十萬人口，只不過，又想把一些知名的文化人留下來。據說，日本人甚至在電影院放告示廣告，指名道姓要請幾位知名文化人和他們見面。所以，我們相信日本人一定設了關卡，去截查回國的人潮，雖然可以混雜在難民之中，但在路上一樣要格外小心！ **(註 12.1)**

由 1942 年 1 月 6 日開始，連續兩天，都有些抗日的文化人仕經這個途徑離開。到了 1 月 8 日，潘大哥跟我說，這一次的人比較多，也比較有名，山上的路我最熟悉，所以要我護送一下。

這是一個人人應該是英雄的年代

　　他介紹了一個戴圓眼鏡，有一點胖的中年男子給我認識，說他叫做鄒韜奮，是很出名的政治評論家、文化人。我隱約記得這個名字，大概是從阿立那兒聽來的，相信來頭不小。

　　潘大哥很快便替鄒韜奮打點好，他帶多了一點行李，潘大哥也勸他掉了一些，因為山路崎嶇，又不能僱挑夫，自己帶著太多東西，很難照顧。

　　天剛黑，我就帶他和另外三人出發，繞過大街，專挑一些小巷來走，避過日本人的哨崗。我們由銅鑼灣糖街走到避風塘岸邊，其實不過是 20 分鐘路程，不過，對於他們來說，由於心情緊張，又不是走平日的大路，就自然覺得走了很久。

　　我試試逗大家說話，便問鄒韜奮：「早陣子，潘大家和歐陽聯絡大家，也真不容易。」

　　鄒韜奮道：「沒辦法吶，我們這段時間顛沛流離，我在上月 8 日開始，范長江兄幫我家五口，從九龍過來後，總共搬了六次家，才避得過日本人的耳目。」

第十二章：一路順風的營救

我馬上問：「鄒先生還有家人在港？怎不帶他們一起走？」

鄒韜奮說：「三個孩子年紀幼小，路途難走，怕他們吃不消，所以我先把妻子和他們留下，等待機會直接坐船回上海去。」

我說：「留在香港，就要凡事隨機應變。上一回，他們讓我去中環半山，保護一位姓何的老奶奶，聽說是個出名的畫家……」

鄒韜奮連忙說：「是何香凝女仕麼？」

我便答道：「對呀，就是這個名字！那天，日本兵逐戶檢查，兇巴巴的來盤問，

我口袋裏有一柄槍，但也沒把握對付十多個士兵，還是老奶奶冷靜……」我賣一個關子，他們果然好奇起來。

我繼續說：「老奶奶說這家主人早離開香港，去了南洋，

她帶著孫子來替老闆看房子。日兵見她衣著打扮，也像個老傭人，問不出什麼來，便走了。我說吶，還說我去保護人，結果反而是老奶奶兩句話把我救了。」（**註 12.2**）

大家聽我說得滑稽，都笑了，沒多久便來到岸邊。這時，海上聯絡站的小船已在等著。我們和船家還有暗號，我問：「有魚賣嗎？」船家答：「有。」我再問：「什麼魚？」船家答：「你下來看吧。」這番對答，就代表沒危險，也沒有日本兵來查問過。

我們上了小船，就被送往避風塘中心的大船上，把大家逐個扶進船艙。這個時候，船上面還沒有幾個人，我早前聽說過今晚會比較多人，所以，心中有數，知道大概要等好一陣子。其他人不知道的，不斷在問什麼時候開船，我惟有隨口說些理由，打發過去。其實，這個船艙的確很大，要是坐五六十人也不會擠擁，而且，陳設也頗豪華，我雖然看不懂壁上的對聯和掛畫，但地氈與坐墊都是貴價貨，不知道這條船平日是做什麼生意的，我只是隱隱覺得，這個格局和上一次見識過的，麗池餐舞廳那種有點相似，但似在哪裡？一時又說不上來。

第十二章：一路順風的營救

　　沒多久，其他人陸續出現，忽然見到一張面孔，好生面熟。我還未想得起是誰，鄒韜奮就高興的叫了出來：「沈兄，你也來了！」

　　我登時想起了，就是上一次在餐舞廳，跟日本人辯論的沈先生，他居然連太太和一雙兒女都帶來了。他們一見面就不停說話，鄒韜奮細數他六易其居的經歷，說他連貧民窟也住過，問及沈先生這段時日，有些什麼見聞。

　　沈先生微笑著說：「我們在跳舞廳，包下了一間大廳。後來人多了，跳舞廳老闆娘的客人帶一個舞女，也擠進來了。紅男綠女，整天鬧烘烘，非常有趣。如果不是機關槍架在路口，我們還捨不得離開呢！」鄒韜奮聽到這個，瞪大眼睛不懂反應。沈先生卻忽然望了我一會，敢情他也記得在哪裡見過我。我也笑一笑，道：「大家在這段日子，各有不同經歷，在我見過的人當中，要算先生過得最寫意了。」

　　沈先生說：「簡直是浪漫蒂克。」

　　我不懂什麼什麼克的，但不好意思去問，便說：「沈

先生有見過日本兵嗎？」

「英國人扯了白旗的時候，我們住了個大旅館，而這旅館的一半又被日本兵徵用，日本兵曾到我們房間內看我們打牌，一個伍長還對我們大宣傳其皇軍作戰目的，是為了解放中國人，甚至殷勤地問我們有沒有受驚，有沒有損失。」沈先生說。

其他人也說了些經歷，似乎日本兵也有很多不同的風格，沈先生見到的比較斯文，更多人看到的，是他們殘暴的手段。這一夜，大家都談到很晚，翌日天未亮就出發，先到九龍。上岸時，尚未日出，馬上有幾個爛仔衝過來，打算收保護費，他們總愛裝成那些兇神惡煞的模樣，先來個下馬威。我本來早也打算付錢了事，豈知其中一個是老邱的人，認得我，馬上跟同伴誇張地介紹，說我是天來會少主，大家的態度馬上改變，客客氣氣的讓我們上岸。當然，沈先生可能以為我的江湖身份很有幫助，其實，我自己知道，即使我不在，大家付足錢，也不會有什麼麻煩事的。

上岸後，我們找到了一班離港的人潮，混在人群中，果然又沒有任何阻礙。

走到了荃灣，其實也只是上午 10 點鐘左右，我們三十

第十二章：一路順風的營救

多人離開了人群，爬上了山坡，去到一組木屋。這邊已有接應的，把我們引進其中一間屋，只見屋裏的板桌和長櫈都是新的，十分乾淨。有人以為我們已經到了目的地，當這裡是遊擊隊控制的地區，大為高興，表示想不到那麼容易就脫離虎口了。

我忍住了笑，說：「這兒現在是三不管的地方，還在九龍。不過，遊擊隊也常常來的。」其實，大家只是在這兒吃頓飯，繞過日本人的關卡，抄山路再走，這段路開始屬於天來會的勢力範圍，自然就更加一路平安。不過，接下來這條山路也的確不好走，上山的路都是石頭，雖然是 1 月的冷風天，走到山頂時，所有人都大汗淋漓了。翻過山頭，就走進一個草木茂盛的深谷，人在雜草叢中前進，根本不知方向。他們走不慣山路，難免覺得氣悶，也擔心大伙走錯了方向。我試試分散大家的注意力，就胡謅這兒就是日本人和英軍開戰的地方，結果三天內解決了九龍半島的戰局。

由深谷走了出來，前面突然傳來了幾下槍聲，誰敢來這裡撒野？

　　我叫大家就地休息，自己快步跑上前頭看看，發現有五個山賊，已經被遊擊隊的人馬綁起來了，路邊還放著被繳下的土槍土劍。我心想這幾個賊也真不上道，跑來這些荒野之地，想發走難財，卻不知道我們這邊才真箇人強馬壯！說起來，我一直在領路，其實根本沒有用武之地。

　　約莫又走了一個小時，來到元朗歐屋村的打禾場。這兒早就有十多人來了，還有四個漢子站著，都背著長槍，相信是遊擊隊的守衛，我上前看清楚，其中一個正是小鄧。

　　小鄧見我來到，馬上拉我們去見一位「江大哥」。看這人也是二十來歲，五官端正，槍柄上繫著一塊紅布，頗有威嚴，似乎是個隊長之類的人物。

　　這下子，連鄒韜奮也以為自己到了目的地，歡呼道：「到家了！」我也忍不住拉一拉他的衣袖，悄悄地跟他說：「其實，我只會護送你們到邊境，你見到我還在，就肯定還未離開香港。」

　　現在，我們這一行人，加起來約有五、六十人了，鄒

第十二章：一路順風的營救

韜奮說認得這邊的人，似乎也有些國民政府的官員，莫非他們也靠遊擊隊護送，離開香港？這個我們就不得而知了。這一大群人，由我和小鄧走在前頭領路，開路和殿後都有步槍押陣，還有挑夫在隊伍中段挑行李，這個場面多麼威風！哪裡像是逃難？這一段路，一直走到天黑，幸好還趕得及來到下一站。這兒沒有床鋪，但地上有稻稈墊著，大家累了一整天，還是睡得很熟。

翌日清晨，1 月 10 日的上午，我們尚未起行，一個鄉長之類的人物，神情緊張的來到，宣布日本兵馬上要來點驗，要大家排起隊來。

小鄧他們早有計議，為免打草驚蛇，日本兵要搜就由他搜吧，最重要的是大家要裝成普通難民。遊擊隊則帶著武器，先行離開，過了這關才再來會合。我也把手槍交給小鄧保管，免得給搜了出來反而給大家添亂。

過了半小時左右，來了四個日本兵和一個翻譯，我當時心想，原來只是這樣一個陣容，也不用太緊張吧。不過，我這邊要受保護的人太多，真的開戰的話，還是我們吃虧，

只好順從一下，扮演鄒韜奮的小弟。點過了人數，也沒有搜查我們的行李，四個日本兵就分為兩邊，排頭兩個，排尾兩個，吆喝著就開步走了。這一下，他們反而像是在護送我們上路，頗令人意外。我們本來是步行的，但日本兵一二一二的喊著大家幾乎變成跑步了。

大家跑了好一段時間，來到一座小山，隊伍在山腳下停下來，前面的日本兵仰臉高聲向山上叫話，山上也有日本兵，兩頭問答了幾句，我們當然聽不明白。

然後，只聽前面的日本兵大聲說了兩句，隊伍就動了，我們跟著前列跑，卻見到本來在前排的兩個日本兵站在路邊，看著我們跑過，我知道，日本兵的押送，到此為止。

我們跑過山腳，知道後面有日本兵，更加不敢停留。再跑了一段，已經是中午時份，小鄧他們也趕到上來會合，大家都笑稱有驚無險。

我說：「總要見一見日本兵，才算是一次完整的走難嘛，要不然，只在森林見到幾個沒名沒姓的毛賊，好像沒有什麼經歷！」

第十二章：一路順風的營救

　　這時，大伙兒都累了，就坐在路旁休息，這裡是半山腰，大概還有三十里山路，就去到深圳的遊擊隊範圍，這段路的安全是沒有問題的了，他們過了深圳河之後，經寶安去惠陽，那段路我也幫不上什麼忙，便在此告別大家，自己回香港去了。（**註 12.3**）

可公開的情報

註 12.1：所謂「歸鄉運動」，是日本人在香港淪陷期間，為了解決香港食物和物資不足的問題而實施的措施。在 1942 年 1 月，日軍民治部就已經成立了「歸鄉指導委員會」，半逼半哄香港居民回歸大陸。到了 1945 年，香港的人口由 1941 年的 160 萬人，急跌至 60 萬人。

可公開的情報

註 12.2：何香凝女仕（1878 年 – 1972 年）是中國女性革命家、政治家、國畫家，號「雙清樓主」，生於香港，中國國民黨左派元老。何香凝是廖仲愷的夫人，二人均為孫中山領導的中國同盟會早期成員。何香凝提倡男女平等，並組織了中國第一次慶祝國際婦女節的活動。1925 年，廖仲愷遇刺，這使得何香凝在接下來的 20 年中遠離黨派政治，但仍積極組織支援抗日戰爭。何香凝是嶺南畫派著名畫家，作品被中國郵政發行的特種郵票採用。

本段經歷收錄在《香港淪陷大營救》一書中，作者楊奇，三聯書店出版。蕭七的參與純屬創作，故此只屬旁觀性質。

許可

可公開的情報

註 12.3：沈雁冰其實就是名作家茅盾（1896 年 – 1981 年），原名沈德鴻，字雁冰。中國現代作家及文學評論家。常用的筆名有茅盾、玄珠、方璧、止敬、蒲牢、形天等。茅盾於 1928 年發表首部小說《蝕》（《幻滅》、《動搖》、《追求》三部曲）。著名的作品有代表作《子夜》、《農村三部曲》（《春蠶》、《秋收》、《殘冬》）、《林家鋪子》，除此之外，茅盾亦著有《西洋文學通論》。

本章的逃難情節，主要參考茅盾親自撰寫的《脫險雜記》一書。蕭七護送除中所見所聞，主要乃取材自《脫險雜記》中的描述，包括茅盾在戰爭其間暫住跳舞廳之中，也是根據這本書而撰寫的，不過，當時的跳舞廳是否就是「麗池餐舞廳」，則不得而知了。

許可

第十三章：土匪的槍自有出處

　　由香港到元朗，來回走了一匹，我相信古代的鏢局也是這樣做的吧！回到駱克道，我滿心覺得這該是領功的時候了，哪想到，大本營中，人人都是愁眉苦臉的模樣。

　　我見有三個山上的兄弟，坐在老張身旁，心忖：莫非是派去保護史家兄弟的那幾個兄弟出了事？

　　我連忙問個明白。

　　「兄弟都沒事，阿劉受了點輕傷，在房裡休息，我和阿葉阿豪在等七哥你拿主意。」說話的是老王，以前是十八般那邊的人，年紀比較大，資歷也深，他帶著幾個兄弟，去保護老張那些有錢人。今天這個垂頭喪氣的模樣，敢情是老闆出了事，被日本人捉了。

　　我便盡量用安慰的語氣說：「栽了在日本兵手上？他們人多，也是難說。」

　　老王的頭垂得更低，老張便說：「不是日本兵，是土匪。」

老王繼續說：「我們保護姓方的大戶，搬了去西邊般含道，以為比較安全，豈知被當地的爛仔盯上了，把方先生綁走了。」

我有點意外：「只是爛仔？你們不是有槍嗎？」

老王說：「是啊，我們四個人，保護方先生一家四口，憑手上三柄槍，這幾天來，其實也趕跑了不少爛仔。今次他們人多，槍又多……其實他們最初闖進來的時候，我們也開槍打死了兩個人，沒想到他們繼續有人，我們唯有逃跑，救得了方太太和他兩個兒子，就來不及救方先生。」

老張說：「現在方老闆被土匪綁了票，土匪索價二萬，方太太奔走張羅了一天，才剛剛夠數。」

我奇道：「你們三柄槍也不敵？他們有多少武器？」

老王說：「大概有六、七支槍，我們也沒想到有這麼大火力，沒有防備。」

第十三章：土匪的槍自有出處

沙老編插口道：「以前英人不相信中國人，直到戰事危急，差不多投降前，才肯把槍發給華人後備警察。其實，英人早已招募了這批後備警察，不過實在很少有什麼知識份子參與，都是些烏合之眾，一直也沒有動員他們，到後來，實在到了沒有人可用時，只好武裝起他們來應急。哪知道，這批槍落到手不久，戰事就結束了，這些人當中，有些本來就是歹徒爛仔，他們一旦取到槍在手，很容易就受不住誘惑，鋌而走險。」**（註 13.1）**

我皺眉道：「英國人是真的愚蠢，抑或是刻意安排？差不多投降了，才把槍流出民間，分明就是製造一個爛攤子出來嘛！」

沙老編答：「英人的動機如何，當然無從稽考了。日本軍也不會理會我們的死活，現在，有些地方自己組織起來，維持秩序，但碰到這些持槍的歹徒，也是無可奈何。」

我說：「這些可以從長計議，當務之急，還是要趕快贖方先生回來。」

老張說：「七哥說得對，我們也是這樣想。」

我忽然覺得有點不妥，老王叫我「七哥」，是給面子我師父，怎麼連老張也這樣叫？我再望他們，老張沒反應，歐陽由頭至尾沒說過一句話，老王三人更是刻意望向別的地方。

我忍不住便說：「你們在搞什麼？有話便說嘛！」

六個大男人，統統都不肯說話，我心忖：這個麻煩似乎不小了。我於是再說：「你們剛才說錢已經湊夠數了，既然不是錢的問題，還有什麼東西，開不了口的？」

沙老編勉為其難的開口，說：「其實這事和我無關，我也不應插手，不過，土匪要的錢雖然已經有了，不過，他們要求方先生的兩位公子送錢……」

明白了！我替他們說下去：「不過，你們又怕對方不認帳，兩位公子送錢之後，會把兩位公子也一併綁了。所以，左想右想，不如找兩個年紀差不多的小子頂替；再好一點的

第十三章：土匪的槍自有出處

安排，如果這兩個小子原來碰巧會些功夫，懂兩手槍法，能夠出奇不意，把歹徒殺光，連錢帶方老爺一起送回來，那就最好了，對不？」

老張這時候，居然賠著笑臉來說：「七哥就是聰明，不，不單是聰明，簡直就是文武雙全……」

我馬上道：「可惜的是，根本沒有人有這樣的本領。」

老張說：「怎會呢？七哥不正是本領高強……」

我說：「你去問問老王，他們四個人三柄槍也對付不來，我一個人有什麼辦法？」

老張繼續說：「我們當然打算由啞刀子陪你。」

我說：「你們認為飛刀會打贏子彈？」

老實說，我真的不知道為什麼要冒這個險，這時候，忽然有個中年女人拖著兩個十二、三歲的男孩，由房間裡

走出來，哭著說：「七哥，你要幫我！我們方家九代單傳……」然後，她說了一大堆唏呢哇啦的，我相信她自己也覺得是理由的理由，不過，在我聽起來，又的確統統與我無關。我真的沒辦法聽得明白，她為什麼會覺得自己可以說服我，不過，我看著她不停的說話，一邊流淚一邊說，我又有點心軟。

是的，這位方太太雖然已屆中年，又的確長得美，雖然不施脂粉，但連哭起來的姿態也是優雅的。

當然，我對她毫無非份之想，只是有點覺得，這樣標緻的女人，無論活到幾多歲，都不應該落得一個家破人亡的厄運。

於是，我說：「妳看，妳兩個兒子那麼小，我們怎麼扮，也是不似的嘛。」我自己也聽得出這個抗辯理由是多麼軟弱無力。

老王忽然抬頭望著我，看得出他有點意外。

第十三章：土匪的槍自有出處

這時候，老張從方太太及兩個小男孩身後，把啞刀子拉出來，居然早已換好了白襯衫西褲皮鞋，鼻子上還架著一副小眼鏡，看起來，又的確頗像那兩個小男孩。我忍不住說：「我才出去了兩天，你就任人擺佈成這個樣子？早叫你多吃點飯，才會長高嘛，多累事！」

啞刀子似笑非笑的看著我，那眼神在說：「早就猜到你跑不掉的了。」

老張馬上說：「七哥就是義薄雲天，刀子哥一早就估到七哥一定仗義幫忙！」

歐陽這時才開口說話：「去，也要做好準備，我們這邊只有情報人員，沒有軍隊人手，事實上，歹徒要求在西營盤海旁交錢，那邊地方空曠，也安排不了埋伏，我們找來了三輛人力車，老王三人可以裝作車伕，我們五個人五支槍，對他們六至七枝槍，也不一定會輸。時間不早了，我們快些弄些吃的，早點出發，這陣子經常戒嚴，免得誤了時間。」

我瞪大眼睛說：「今晚？我才剛回來耶！」

　　我們兩個小方，乘著三輛人力車，當然是打算接了老方，三個人一起回去吶。我坐在車上，一邊想：「如果我是那幫人，我會放老方嗎？但，我的確是做山賊的嘛，這個我不是應該在行的嗎？師父會如何決定呢？我想，師父從來都是只打人不殺人的，只是偶爾遇到一些地主，僱了武師來打我們，才殺兩個人來立威，一般來說，可免則免。不過，師父不是一般土匪，我們是有名望好漢嘛，人家新入行的，不知規矩，未必用我們這套。」

　　幾番思量，還是沒有結果，也沒多久，就來到雙方約定的地方，這個地方頗為空曠，看得出大家也沒法派人埋伏，海上也沒有船，相信他們打算收到錢之後，只在陸路離開。

　　當我們三輛人力車，來到街口附近，他們就叫我們停下來，與他們大概有百多尺的距離。這時，太陽剛剛下山，天色尚未太暗，我打量一下對方，總共有七個人，押著老方站在中間，我想，如果全部都有槍，我們靠突襲，僥倖的話，

第十三章：土匪的槍自有出處

可以先打倒四個，但他們馬上可以用老方來作掩護，我們還是在下風。所以，他們未放人之前，我們怎也不能發難。

再多走幾步，我才看到老方被他們綁著手，幪著眼，我正想，怎生讓他們先放走老方，豈知，他們已經動手解開了老方幪眼的布，讓老方自己走過來。

我心想，莫非他們真的無經驗，不懂規則？連我有沒有帶錢也不查驗清楚，馬上就放人？莫非……他們想一併殺人滅口，當老方跑到中途，就在後面放冷槍把他打殺？

老方也不等手上的繩解去，就馬上拔足跑了。我心忖這趟要糟了，正想伸手拔槍，但這兒距離尚遠，啞刀子的飛刀未必管用……忽然間，我看見有兩個土匪露齒大笑，還向我們招手……

可公開的情報

註 13.1　在薩空了先生撰寫的《香港淪陷日記》中，有英國政府派發槍械的記錄，也有這樣的看法：「戰前戰後糊里糊塗爛仔歹徒不知死了多少……也許有人看了敵人在對付歹徒而心裡感覺快意吧？人類是這樣愚蠢，在由這種愚蠢分子構成的社會中，如何能有真是非存在。」《香港淪陷日記》內，作者也談到廣西人王紀文被綁票的事，雙方也有不少槍械，發生的地點是元朗。

許可

第十四章：英雄的膽與生俱來

我本來以為免不了一輪槍戰，豈料，在我拔槍前的一剎那，那兩個土匪笑著向我招手。我定睛看，原來那七個土匪，有四個是從山上帶來的兄弟，相識的。向我刀招手的兩個叫阿威和阿剛，可以說是從小一起玩的，不過他倆後來被編了在十八般的部隊之中，所以六姐就把他們調離天來會。

他們也沒打算追殺老方，只見老方望了我們兩眼，便頭也不回的逃命去了。當然，他認得我倆不是他那對寶貝兒子，但他逃命的速度，也難免令我有點不是味兒。其實，我這時也知道是沒有什麼危機的了，回頭再看，老王三人把人力車拉到一旁，也漫步走了過來。

我還未開口，老王已經說：「七哥，你不可以怪我！我早前已經打了眼神暗號，叫你不用擔心的吶，但太早告訴你，又怕被姓方的看穿，唯有多瞞你一會。」

我說：「原來就是你們串通的，阿威，你們四個不是另有老闆嗎？怎麼又跑出來了？」

老王招手叫另外那三個陌生的流氓過來，道：「你們

三個，還不過來拜見七哥？你們別看七哥年紀輕，在山寨上，他輩份比我還要高吶。」

那三個流氓也真的走過來拱手行禮，做古裝大戲似的架式，我忍住了笑，道：「快說，究竟是怎麼一回事？」

老王便說：「我們本來是八星聚義，現在碰在七哥手裡，就當然由七哥領導吶。是這樣的，這三個新手，領了兩支手槍就以為了不起，不知天高地厚，竟然想打劫我們，當然就被我們制伏了，當他們知道我們的來頭，就想跟我們走江湖。碰巧阿威的老闆又悄悄的跑了，我們便一起策劃發財大計。你知道嗎？這個姓方的也不是什麼好人，我親眼看見他和日本人有交往，而且，他在家中，動輒就打老婆出氣，我們早就看不過眼，所以便發點財，順便教訓他一頓。我們說什麼打死了兩個賊，但終究不敵人多，那當然是騙老張的；阿劉不小心跌傷了，那倒是真的。」

我埋怨說：「事情也鬧得太大了吧，要是給人家查出來，天來會的名號不就讓你們斷送了嗎？」

第十四章：英雄的膽與生俱來

阿威馬上道：「七哥請放心，捉了姓方的過來之後，一直都是他們三個新人出面，我們一早預算要放他走的，所以行事極小心，沒留證據。」

我再說：「師父叫我們轉做保鑣，那是順應時勢，我們繼續做賊，就辜負他老人家的苦心了。」

老王把手上的鈔票掏出來，道：「我們本來就是賊嘛，你看，這些鈔票多好，比我們在山上更易發財。」

我說：「以往，英國人哪裡管得到我們山上的事？我們自己有自己的規條，自己的義氣。師父不是常常跟我們說嗎？我們不是賊，我們其實是天理，有我們在，其他土匪就不敢來，十幾條村交足了保護費，我們保大家太平。我們一開始就是用山寨的名義，替天行道。」

老王說：「對對對，替天行道，我們教訓教訓那姓方的，收點替天行道費，來，七哥，這是孝敬你和刀哥的。」一面說，一面掏了一疊鈔票給我。

　　我看著花簇簇的鈔票，其實也有點心動，但我如果收下了，往下的話就說不出口了，唯有忍痛把鈔票推了，說：「你叫得我七哥，我就不能來分你的贓！不過，我來問你，你往後有何打算？我可不可以由你留在方家。」

　　老王說：「不瞞七哥，我們也不知道應該去哪，現在有些許錢，但花個一年半載，也就花完了，最後也得重操故業。」

　　我便說：「師父叫我們當保鏢時，日本人還未來，現在日本人來了，即使大家給我們保護費，我們也保不住這裡的人，你們有沒有想過做軍人？」

　　阿威和阿剛眼睛也發亮了，齊聲道：「打日本鬼子？」

　　我連忙把他們按下來，道：「小聲點，當然是打鬼子呐！在這個年頭，我們不站出來做英雄，豈不辜負了這身本領？」

　　老王嘆氣道：「打得來麼？連英國軍隊也給他們打到落花流水。」

第十四章：英雄的膽與生俱來

我煞有介事的說：「如果和劉黑仔一起打呢？」

兄弟們聽說可以和劉黑仔一起抗日，大家都熱血沸騰，尤其是那三個新來的，我本來以為只是幾個不上道的流氓，的確有些瞧不起人家，豈料說到可以當英雄，全部都像剛剛看完岳飛傳楊家將的模樣。我琢磨了很久，究竟是否該想個辦法，叫他們把錢還給方家？這一點，可不是一時三刻想得通的，時間又不早了，我惟有先和老王等人回去，免得大家起疑心。究竟要如何安插他們到遊擊隊裡去呢？這個也要費些思量。

回到駱克道，大家都未睡，看起來，各人也的確有關心我的安危，並非純粹只當我是冒險工具，這個也算是有點安慰。原來方先生一個人跑了，不知道該往哪裡去，中途遇到歐陽的人，才給送了回來，所以回到這裡的時間，也不比我們早了多少。

方太太聽到我們回來了，連忙跑過來道謝，哪知道她

人剛來到面前，就聽見方先生在房間內的喝罵，原來他在收
拾細軟，正打算明天破曉就走，所以要方太太服侍。看著方
太太抱歉的神情，我對這個方先生的印象的確不太好。

於是，我便和老張說：「這麼一來，老王四個人就不
跟他們走了，我想帶他們回山，也許，遊擊隊有用得著的地
方。」

歐陽說：「老王留下也是好事，恰巧明天有個任務，
也真要你們幫忙。」

又有任務？在老張與歐陽之間，也真的沒有喘息的空
間。

這時候，沙老編又來當說客：「今次他們要營救的是
蔡楚生，那真是非常重要的文化人，他拍的電影《漁光曲》，
是第一部獲得國際電影獎的故事片，他來了香港幾年，拍了
多部電影，所以，很多人都認得他，要走並不容易。而且，
有人在電影院見過，日本人公開打出幻燈，指明要蔡楚生和
其他知名的文化人，到半島酒店會面。我看哪，這個表面是

第十四章：英雄的膽與生俱來

邀請，其實是誘捕，非常凶險！」

我便說：「那麼，也就請他來這裡，我明兒照老路，送他去九龍，跟大隊走吧！」

歐陽卻說：「今次的安排是這樣的，我們會幫蔡楚生化妝，扮成一個失明老人，再由交通員扮作他的外甥女，掩護他由筲箕灣出發，假裝是『歸鄉運動』的難民，去到西環；之後，再有人安排他乘船經長洲到澳門，最後回到國內。」（註 14.1）

我嚇了一跳：「你們想我扮女人？」

歐陽笑著說：「放心放心，交通員方面已經安排妥當，不過，今次要走的路線，比較多日本哨崗，也有太多人認得蔡楚生，我們擔心中途會生變故，所以想老王和你倆扮另外三父子，也是要歸鄉的，路上照應一下。如果真的給日本人留難，也可以隨機應變，把蔡楚生送返這兒，萬萬不能落在敵人手中。」

我說：「也只是陪他走一遭吧，最重要的是蔡楚生的化妝，看看是否騙得了人。」

歐陽說：「這個可以放心，就連那個女交通員，也是很有經驗的情報人員。不過⋯⋯還有一個問題，就是你們也會被搜身，所以不能帶槍或飛刀等武器。」

其實，我又幾曾開過手中的槍？不過，還是要裝一裝勉為其難的樣子，然後才答應他。同時，歐陽也答應，待大營救行動完成了之後，推薦我們加入遊擊隊，不過，我問他劉黑仔的事，他卻知得不多。

翌日，我們一大清早就去了筲箕灣，看見他們已經差不多為蔡楚生化好妝了，他穿灰藍色長衫，戴一頂舊毯帽，架著一副陳舊的盲人眼鏡，的確像是一個有眼疾的老頭子。這時候，大家正在指導他那種老態龍鍾的步履，看起來，真的沒有什麼破綻。

第十四章：英雄的膽與生俱來

　　原來，他還有太太陳曼雲同行這一遭，陳曼雲不用扮老年，就裝成他的大外甥女；那個交通員叫巢湘玲，年紀比我大一點，手挽一個小提箱，看似怯生生地站在他身旁，扶著這個失明老人，不過，我看得出這個交通員雙目有神，也不是一般沒見過世面的小女生。

　　甫出發，我便發現巢湘玲對路線掌握得很仔細，她一邊扶著她舅舅蔡楚生，一邊告訴我：「我早兩天已經走過一遍，了解這條路線之上，日軍的佈置情況。」

　　我問：「你一個女子，也真有膽識，這時候，街道上隨時都會有死人，蠻嚇人的。」

　　巢湘玲卻說：「就是嘛，每一個路口都有日本兵，如果走錯，他們就開槍射殺，很多人都不敢走出來，但要生活嘛，又不能不出來。淪陷開始時，幾天都沒有人敢出門，日本人的事，你怎麼知道。」

　　我見她一個女子，也是有點佩服的，便問道：「那麼，你怎麼夠膽來當交通員？」

　　巢湘玲便答：「你想想，你對敵人那麼憎恨，自己想著日本人就是我們的對手，如果自己那麼害怕就不要參加遊擊隊。如果你那麼害怕就不要入，入了，就準備殺頭！」**（註14.2）**

　　嘩，連殺頭也準備了！我、老王、啞刀子聽在耳裡，都有一種熱血沸騰的感覺。我們自稱山上的好漢，說在過刀頭舐血的生活，但沒幹過一件事，真正可以令自己覺得自豪的。我看見啞刀子那張冷冷的臉，罕有地露出神采；老王卻在望著我，眼中的話，彷彿在說：「七哥，跟著你幹，果然沒有跟錯。」老實說，我知道昨晚說去打仗，幾個年輕的也很鼓舞，老王年紀大一點，比較多顧慮，一直在唯唯諾諾，現在見連一個小女生，也有英雄氣慨，才真正的下此決心，要和日本人周旋到底。

　　雖然天色尚早，但街上已經開始有行人，大多是拖男帶女向外疏散的難民，我們見人多了，也不再交談，他們三人在前，我們三個在後，相互保持一段距離，以便觀察街頭上的哨崗和周圍的動靜。我們每到一個哨崗，都要停下來接受檢查和盤問。日本兵出了名的蠻橫，也不知哪裡冒犯了

第十四章：英雄的膽與生俱來

他們，就會惹來一頓毒打，我們甚至看見有人被他們脫光衣服，罰跪示眾。這樣的場面，我們看在眼裡，心中真的有股怒火，就想上前開打，但想到營救蔡楚生，大局為重，惟有忍氣吞聲地裝作順民，還要給這羣野獸士兵鞠躬行禮。

差不多去到灣仔，老王不知哪裡出了錯，給日本人拉了出來毒打，我打算待蔡楚生三人走遠，才出手救人，正在盤算這個哨崗有四個日本兵，我們沒有武器，如何可以偷兩柄槍來用。

沒想到，蔡楚生太太陳曼雲，忽然用日語與日本兵攀談，那些日本兵看見有人懂得日語，也來說兩句，分散了注意，大伙兒就趁機從人堆裡混過去。

我們兩撥人，就這樣通過一個又一個哨崗，始終未被敵人看出破綻，把蔡楚生安全護送到中環三角碼頭，來到這兒，另有人接應，我們便功成身退了。

可公開的情報

註14.1 ： 所謂「交通員」，主要負責在營救行動的掩護工作，也包括聯絡、情報的活動，通常不牽涉任何武裝行動。

可公開的情報

註14.2 ： 邱逸博士在《戰鬥在香港：抗日老兵的口述故事》一書中，親自訪問了年屆九十二歲的巢湘玲女士，書中詳細敘述了巢女士在抗日戰爭前後的事蹟，當然也包含她參與營救蔡楚生事件的經過。至於她跟蕭七說的一番話，其實是她向邱博士憶述的心情所說的，本書借用過來，成為了啟發蕭七的一番說話。

第五部分
困城

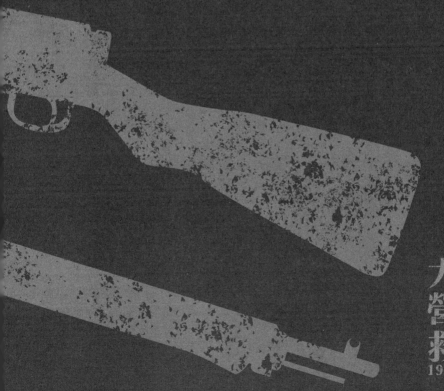

大營救
1942

第十五章：原來我不是英雄

「剛才給日本鬼子狠狠的揍了一頓，不知怎的，就是覺得很痛快。」老王回到駱克道，不斷的在複述早上被打的經歷：「你們聽我說，身為中國人，和日本鬼子天生勢不兩立，給那些禽獸打了，我忍下來，那姓蔡的重要人物安全的給送走了，我今天才真真正正的覺得自己為國家做了點事！」

其實，老王傷得不輕，額上背上腿上都有傷，一片青一片紫的，還好沒有骨折，我們一進屋，就趕緊替他上跌打藥，但他那股愛國熱情澎湃得緊，好像身上的傷痛統統都不是一回事。

老王還指著阿劉說：「你看你那點小傷，休養幾天也還在哼哼唧唧的呼痛，為什麼？就是因為你的傷受得沒有意義，我的傷是為國家受的，就不覺得怎麼痛了。」

有這回事？為國家受的傷是不痛的？又太誇張了吧！老王昨天對於參加遊擊隊的事，好像還是模稜兩可的，今天忽然愛國，似乎有點突然。我轉念又想，四哥當日練的「神打功」，其實也不是不會受傷的，我就見過他夜裡偷偷塗藥，敢情也是一種精神力量，精神亢奮到一個地步，就忘記了應有的傷痛。

　　趁此機會，我就跟歐陽提出想參加東江縱隊的想法，歐陽說：「你們肯加入，東江縱隊當然歡迎，不過，話說在前頭，我也不知道劉黑仔在哪一支部隊。」敢情我平日說得太多，歐陽以為我只是想親近劉黑仔，我也懶得和他爭論，我自己在想：「這個營救行動，我的確出了不少力，雖然沒有開過槍，但救走的，都是些有名堂的人物，將來跟兒孫談舊事，可能也比得上劉黑仔吶！千萬要上天保佑，蔡楚生拍多些電影，沈雁冰寫多些文章，算起來，他們將來的成就，我也有一份功勞。」

　　我正想得入神，忽然有一個人闖了進來，向我問道：「沙老編是不是住在這裡？」

　　我看這傢伙，高高瘦瘦的，五官算是端正，穿一襲普通不過的灰色唐裝，那態度好像認得我似的，這陣子，可能跟歐陽和潘大哥見得太多人了，根本不記得在哪兒見過他。

　　「不認得我了嗎？我是戴偉！日本人開戰那天，我和老沙在尖沙咀見過你的。」他這麼一說，我才醒起他就是那個在英國洋行當司理的，當時他打扮時髦，穿洋裝，一副不

第十五章：原來我不是英雄

可一世的氣度，和今天完全是兩個人似的，難怪我不認得。

戴偉說：「當日覺得英國人靠得住，自己在洋行打工，就以為知道的比一般人多，哪曉得一宣佈投降，洋人老闆就忽然間跑了，前一天還叮囑我安心上班，分明就是存心欺騙。前幾天，日本人宣佈恢復渡輪，誰知只是讓日本人使用的，華人想過海，又要批文又要檢查的，聽說沙老編住在這兒，所以來找他，看看有沒有辦法。」

應該幫嗎？老實說，這時候真的不能胡亂相信外人，我很清楚，營救文化人的事，絕不能洩露風聲，誰敢保證他不是臨時做了漢奸？退一步說，即使他現在不是漢奸，假使我們讓他隨營救路線過九龍，他也可能事後出賣我們，天知道日本人會給他什麼好處？故此，我們說沙老編不住這兒，匆匆忙忙的就打發了他離開。

晚上，沙老編回來了，我們商量過，都認為不應該冒險，貿貿然去相信戴偉，歐陽說：「我們這兒的營救路線已

經上軌道，不容稍有差池，所以，希望老沙和大家暫時搬去別的地方，免得戴偉又來糾纏。」

沙老編同意，說：「其實，聯合出版報紙的事，我也被迫放棄了，留在這邊也沒有用，回九龍也好，接了妻兒，一同回國內生活更好。」

我說：「我更是沒問題，本來就打算去參加東江縱隊的了。」

歐陽說：「這樣好辦，一會找人安排你們過海。」

沙老編卻說：「但我不是去尖沙咀，我上一回返漢口道的家，原來家裡的傭人把家中財物全偷走了，連像樣一點的衣服也一件不留，所以我把妻兒安頓在九龍城，一個朋友的家。」

歐陽說：「那麼，蕭兄弟也可以去九龍城，我們在那兒也有營救行動的聯絡點。」

第十五章：原來我不是英雄

　　我說：「這個簡單，我們找老邱，索性開船到九龍城。」

　　嘴裡說得輕鬆，我們去了幾個老邱經常出沒的地方，也沒有找到。我們試著僱漁船渡海，找到一隻漁船，以前收幾毫子一個人的，現在要三元港紙一個人，上船的時候，船家比我們更為焦急。他說現在的米一天比一天貴，船做不了生意，一家就會挨餓；又不知日本軍打什麼主意，有時准開船，有時又不准，曾經有船家被無理打死，現在駛船完全是碰運氣的事。

　　聽他這樣說，我不禁擔心起老邱來，整天找不到他，不知出了什麼事。

　　沙老編說：「日本鬼子動輒殺人，把香港弄得人心惶惶，難得大家都急著離開。」

　　我說：「他們不是在搞歸鄉運動嗎？為什麼不准普通人過海？」

　　沙老編說：「大概是想大家用日本人的船吧！前兩天，我路過中環，見他們把天星碼頭上的英文字，改成了『九龍

行乘場』，那種只有日本人才讀得懂的中文字，相信他們的確是打算自己掌握渡輪的，不過，英國人在投降前，鑿沉了好幾艘天星小輪，日本人一時弄不到足夠船隻罷了。」

到了九龍城，沙老編回家去了，我先安頓老王四人在這邊的聯絡點，然後和啞刀子去找老邱。我們走遍油麻地四方街也找他不著，終於找到他的一個舊伙計，他居然舉家搬了去九龍城，我們來來回回走了一圈，原來大家都在同一區。

找到老邱時，已經是黃昏時份，原來他的妻子和小兒子也回鄉下了，只他和兩個閨女留在這兒。他說：「我怎敢讓兩個女兒拋頭露面？老妻和兒子在鄉下，我少照顧兩個人嘛。我本來也想帶女兒回去的，但那些日本人，根本信不過，油麻地有一家人，有個閨女長得不錯，一晚間被日本禽獸強姦了三次，把人家都迫得瘋了。」

我看他兩個閨女，都剪短了頭髮，穿起男裝來，敢情

第十五章：原來我不是英雄

每天都被老邱寶貝似的守在家中，沒得出門半步。

我一拍胸口，道：「別擔心，我們在，日本鬼子又算得是什麼東西。」

老邱說：「我知道你是山上面的英雄，但好漢不敵人多，可避則避好了。」

在兩個美女面前，我就當然裝英雄裝到底了，便將我即將加入東江縱隊的志願說出來，至於營救行動，拆解綁架案，當然更是繪影繪聲，兩個女生，簡直是聽電台廣播一樣的痴迷，於是，便哀求道：「老爸，有七哥和刀哥在，就讓我們出去散散心嘛！」

老邱始終不放心，我便問她們究竟有什麼地方想去，原來在九龍城打鼓嶺道，有一戶姓林的人家，大概是家境不太富裕，就在家中開一間幼稚園，替大家照顧和教育幼兒，賺些生計，邱家姐妹搬過來時，曾經去陪那些小孩子玩耍解悶，在這種艱苦時刻，也算是一種消遣。

　　我答應過去看看，研究一下是否安全，不過，我實在也沒有什麼把握，街上的哨崗雖然沒有香港那邊多，但不斷的有日本鬼子在巡邏，一碰上了又要鞠躬行禮，不是怕麻煩，而是怕讓邱家姐妹看見的話，什麼英雄氣慨也沒有了。

　　翌日，我和啞刀子去那間幼稚園看，其實也不算是學校，只是在家居的地方，充當為幼兒教學的場所，根本沒有花園廳堂。我們在門外看了看，沒看出什麼來，正打算離開。剛轉身，耳邊忽然聽到一個小孩子的嗓音，在唱一首很耳熟的歌，細聲之下，竟然是《松花江上》？心想這還得了，在這骨節眼，唱這種愛國抗日的歌，不啻是挑戰日本鬼子的權威嘛。

　　一看，原來有一個五、六歲的小女孩，一面唱一面在我們身邊走過，臉上還隱隱有一種軍人的志氣，彷彿在告訴我們，保家衛國的精神是應該與生俱來的。

　　我禁不住逗她說話：「你叫什麼！怎麼不用和大家上課？」

第十五章：原來我不是英雄

小女孩抬頭望著我，回答道：「我叫林珍，不用上課的，教書的是我媽。」

哦，原來是少東主，我再問：「妳就住在這兒嗎？」

林珍回答說：「是啊，除了日本飛機來轟炸那天，那天就不住這兒，媽媽帶了我去天主教教堂住，說要找姐姐，後來才回來住的。」

我心想，日本人轟炸啟德機場，和這兒的確很近，便說：「那次轟炸真的很厲害，有嚇著妹妹嗎？」

估不到，林珍卻說：「怕是怕的，但媽媽說那是壞人，我將來長大了，要把他們打回去。」

我後來才知道林媽媽守寡，帶著四女一男，林珍是孻女，家境當然貧窮，尤其是這種戰亂的時候，生活更是艱難。不過窮則變，變則通，林媽媽本來就是幼稚園教師，所以索性變賣了傢俱，買了些桌椅和黑板回來，自己辦小學。

打後的幾天，我無所事事，便在邱家姐妹和林家學校

之間走來走去，倒也寫意。我當然不讓邱家姐妹出門口了，我的如意算盤是將來和啞刀子一人娶一個的，絕不可以冒險讓日本人看見。

那天剛好有幾個流浪漢，在對面騎樓底凍死了，隔了兩天才有垃圾車來，拿席子把他們搬走，我把這事告訴她倆，她們就更加不敢出門口了。

我最享受的，就是把自己塑造成一個抗日英雄的模樣，啞刀子的嘴巴不靈光，我索性連他那一份也說了，和邱家姐妹說完，覺得還差些許，又去找林珍說一遍，似乎又像英雄多一些，回頭又和邱家姐妹說，樂此不疲。

那天午後，我剛好又往學校去，打算逗林珍閒聊，豈知未去到她家，她就已經跑了出來，見到我便大聲呼救：「不好啦，大家姐被日本人綁在車上遊街，正從窩打老道警署那邊過來啦！七哥快來救人！」

原來林媽媽有個學生知道這事，特別趕來報訊。

第十五章：原來我不是英雄

沒多久，一輛日本人的卡車，居然拉著一個雙手被綁的少女，來到附近。敢情那個少女就是林珍的大家姐，我記得好像叫作林展的，我也是今天才第一次見到她。

只見幾個拿著長槍的日本鬼子下車，後頭還跟著一個掛著軍刀的隊長，一下車就不問情由，叫士兵把林展綁在樓梯口的欄杆上，順手抄起放在路邊，平日擔水用的扁擔就開始打，一邊問：「軍票是在哪裡有的？」

林媽媽撲上前，希望可以阻攔一下，卻被拿槍的日本兵擋了回來。

林珍帶著淚眼，望了望我。我身上沒有帶槍，日本鬼子又人多，只好咬實牙關，忍了下來。

林媽媽大聲問，究竟為什麼打人。那個日本隊長卻說了一連串聽不懂的東西，大概他以為我們明白吧！林展立即大聲叫道：「他們誣告我偷了一百八十元軍票，根本沒有那回事！」

　　其他日本軍就走進屋內，把林家的傢俱一股腦兒拖出來，大小雜物，散到一地都是。那個隊長走過去，用腳在雜物中掃了幾下，發覺有一張國民黨軍官大合照相影片，便問道：「這是什麼黨？」原來這個日本隊長懂一些中國字，林媽媽馬上拿出紙筆，寫道：「我家窮也要有骨氣，從來沒拿過別人的東西。」隊長看了，手上又打得慢些。

　　林媽媽連忙再寫：「根本沒有偷你的軍票。」「這裡所有東西都是我家自己的。」當她開始寫字來筆戰，果然也分散了隊長的注意力，打兩打，又看看文字，林展方有喘氣的機會。

　　林媽媽繼續寫，那日本隊長忽然發現了她的用意，便不再理會她寫的東西，專心繼續拷打……一棍接著一棍，往林展的肩、背、腰招呼，終於把她打暈了。

　　幾個鬼子兵居然早有準備，馬上朝林展臉上淋水，把她弄醒來再打，看他們的熟練程度，相信也不是第一次施行這種酷刑。我看見林展手臂上的衣袖都被打裂了，那種猛烈的程度，根本超乎想像。

第十五章：原來我不是英雄

林珍也不知第幾次用眼神來向我求救了，開始時，她的眼裡滿是淚光，去到後來，她的淚也流不出來了。

我依然不敢動手，街上面明明站滿了街坊，我們明明有很多人在後面支持，但看著鬼子幾支長槍⋯⋯我依然不敢動手。

忽然，鬼子給林展蒙上了頭，要她跪著起誓，還用刀背架在她脖子上，以殺頭恐嚇，逼她承認。但她拚死也不肯說，不肯承認。

這時，真的不知道鬼子的刀會不會砍下去。

這時，林珍已經不再望我了。

這時，我在想，要是真的眼看著林展被殺，我以後還可以做人嗎？

我剛剛腦海一片混亂，開始邁出了半步，哪知道，一隻沉穩的手腕搭在我的肩膀上，回頭一看，原來是沙老編來

這是一個人人應該是英雄的年代

了。他的神情一樣沉重，但眼裡的訊息分明就是「無濟於事」四個大字。事實上，緩了一緩，我那份僅僅積聚而來的勇氣，就已經煙消雲散了。

我已經不敢再去望林展的情況，忽然卻聽見她大喊說：「如果我死了，你們一定要為我報仇！」

鬼子見去到這個地步，也迫不出什麼東西來，結果便上車走了，我看一看時間，足足打了三個多小時。

後來，沙老編跟我說：「這是國家的事，沒有國家的保護，個人根本沒有能力，起不了作用。」

我心中只有一句話：「原來我不是英雄！」

回到老邱家，我一直裝著沒事發生，老邱說：「亂世

第十五章：原來我不是英雄

之中，惟有隱居生存，日本人雖然兇狠，但始終會失敗的，能夠活到最後的，便算是贏了。」

我心中剩下一句話：「原來我不是英雄！」

後來，歐陽知道這件事，也來勸我：「要祖國強大，個人就要付出自己的力量，累積起來，才不怕敵國欺凌。」

我心中還是那句話：「原來我不是英雄！」

到我再出來活動的時候，已經是一個月後的事了。

可公開的情報

註 15.1 ：在《戰鬥在香港：抗日老兵的口述故事》一書中，邱逸博士訪問了林珍女士，詳細敘述了林展女士被日本軍人虐打的過程。本書作者黃獎在寫這一章之前，亦探訪過林珍女士，聽她親自闡述當日的心情。

其實，林展女士被日軍虐打的一段歷史，是發生在九龍城賈炳達道，三樓的家中，街坊鄰居是待日軍離開之後，才可以進入室內探望救援，作者刻意把事件轉移到街上發生，純粹是為了加強蕭七的參與度，希望讀者明白。

許可

HONG
1942

第十六章：一首詩都是英雄

　　我開始留鬍子，我不知道別人的鬍子是幾歲開始留的，但我今年十五歲，長出來的鬍鬚，就是稀稀疏疏營養不良的模樣，不過，我毫不在乎，反正我當不成英雄，長相怎麼樣，也沒有什麼相干。邱家兩位姑娘初時也來笑我的鬍子長得滑稽，但後來都說我言語無趣，便漸漸疏遠我了。

　　很快來到二月中，日本鬼子愈來愈猖狂，生活愈來愈艱難。雖然，水和電都恢復供應了，但就要交押金，大家說在英國人時期早已交了一次，現在當然不可退還，變相要交雙份的押金，而且，金額比以前還要多。結果，許多人覺得反正即將要離開香港，索性就拒絕通電供水，馬馬虎虎的捱多一段時日再算，於是，夜裡依然是漆黑一片，只有極少人家開電燈，九龍半島的夜晚，似乎是隨著日本人的出現而枯死掉了。

　　也許，我也在枯萎中途，只是未去到終點罷了！

　　老王去打聽過，林展的傷展雖重，休養了一個月，也漸漸好起來了，不過，我也不好意思去串門子。沙老編一家也經澳門走了，日子就更加無聊。老王等幾人天天窩在室

內，也不願意出外走動，因為四處都有日本鬼子的蹤影，你永遠不會知道什麼地方得罪了他們，會給即場處死。是的，他們在這方面的確是冷血而熟練，先叫人在海邊跪下，然後拔出武士刀，一刀砍在後頸，剛剛砍入大半便立刻收刀，使人頭和身體不致立即分離，剩少許皮肉連著。最後當然是一腳踢到海裡去，不用清理屍體。

故此，大家每天出門口，無論是上班抑或買糧食，都像是參加了一場死亡遊戲，誰也沒把握可以回得了來。

這天，歐陽找人帶來消息，有事情要我們過來駱克道，似乎有什麼重要任務。我和啞刀子便帶著老王等過來，這時候，惟一改善了的，是渡輪終於都開通了，總算有一件事是回復了正常。

來到久違的駱克道大本營，一切似乎變化不多，門外的那張蓋有「日本皇軍」印章的通告依然在，屋內放置的雜物卻多了很多，我相信是因為太多人經這裡走了，大家帶來

第十六章：一首詩都是英雄

的包袱太重，所以留下了不少物資。

歐陽一見面，就馬上說：「蕭兄弟，你幫我們開通的大帽山路線非常有效，我們有幾百人經這條路，被營救到了寶安遊擊區，然後又去了惠陽，途中無一人有所閃失，的確是一件大功勞。」

我知道他是想鼓勵我，也惟有心領他的一番好意，和他笑著說兩句客套話，敘敘家常。

然後，老張加入了，他很認真的，一本正經的跟我說：「我們聯絡到的文化人，統統都成功救走了，不過，還是欠了一個，著名的詩人戴望舒，在我們開始行動的初期，他就被日本人拘捕了，現在被關在域多利監獄。」

我定神看著老張，發覺他神情語調都不一樣了，簡直就是另外一個人似的。歐陽看出我的疑惑，才發覺忘了跟我說明最近的變化，他馬上說：「老張已經加入了黨，正式和我們一同抗日，而且，他懂日本語，又有營商經驗，所以找到機會接近日本人，現在表面上是替日本人處理五間銀行之間的事務，實則幫我們做情報工作，最近探聽到著名詩人戴

望舒的下落，所以我們打算去劫獄營救。」

　　我只是過了海一個月，也真沒想到事情可以有這麼大的變化，撫心自問，我一直覺得老張只是一個市儈生意人，甚至只是生意人手下的一個跑腿的，毫不重要。有他在，的確一切事情有人打點，比較方便，但從來都不覺得他是個人物，甚至有點瞧不起他。這一回，我過了一事無成的一個月，他怎麼會有這種脫胎換骨的變化？

　　老張看見我的愕然，忍不住笑了，他這一笑，以前那種嬉皮笑臉的氣質又出來了，我更加不禁想道：這樣一個人，怎可能做到這樣的英雄事呢？

　　哪想到，他隨手又掏出一張地圖出來，居然有「域多利監獄」的地圖？他煞有介事地指出哪裡是「奧卑利街」，哪裡是「荷里活道」，如何由「奧卑利街」的「長命斜」走上去日本士兵換班的地方。然後，又指點我們「域多利監獄」有多少個建築群，這層是加建的，那座只是行刑拷問時用的，戴望舒究竟在哪一間刑房，統統解釋得清清楚楚，鉅細無遺。然後，他說：「我們做情報的，就只可以做到這一

第十六章：一首詩都是英雄

步了，往後的行動，就要靠你們了。」

我這下可呆住了，良久，才說：「你想我們去劫獄？」

歐陽和老張齊聲道：「當然，你們有人手，有槍，又會武功，當然是你們吶。」

我皺眉道：「我們也只有這幾個人……」我的話未說完，就見到上次串通綁架方先生的阿威和阿剛等四個兄弟，魚貫由樓上走下來，他們後面還跟著七八個年輕人，其中包括了上次那三個流氓，也在一起。

阿威說：「七哥，我們上次分手之後，已經洗心革面，一直在等你帶領，這班新來的兄弟，聽說要打日本鬼子，都來參加我們，現在總共有十二個兄弟在這裡，人手方面，如果不足的話，我們還可以再想辦法。槍方面，我們手上有五支短火，兩支步槍。七哥，你覺得應該如何調動？」

老實說，我真沒想到，阿威阿剛一直在暗地裏積聚勢力。怎麼大家都在努力，就只我一個人頹廢虛度了整整一個

月！看著大家熾熱的神情，我一時也不知說些什麼才好，胡亂問了句，怎麼會找到兩支步槍來？」

阿威說：「兩星期前，我們約了些兄弟夜裡出來喝酒，豈料給兩個日本鬼子叫住了，要搜查，我們身上有槍吶，給他們搜出來是殺頭的罪，我們趁他們走近，便在口袋裡開槍，打死了他們，也把他們的槍拿了下來。這些日本人，平時慣了欺壓不會反抗的中國人，所以沒有什麼防範的準備。」

我又問：「鬼子的屍體呢？」

阿威說：「屍體就埋了，不過，我們把他們的軍服除了下來，洗乾淨了，不知道將來是否有用。」

我的腦筋開始轉起來，便叫大家暫時離開，我擬好計策馬上行動。

大家離開之後，剩下歐陽、老張、我和啞刀子。歐陽首先開腔，道：「兵不貴多，精就好了。」

第十六章：一首詩都是英雄

我說：「同意，也不可能真的鬥槍，這種時候，無聲無息的刀，可能更加管用。」

老張說：「既然有兩襲鬼子制服，就更方便了。」

我說：「預了一套給你的了。」

老張瞪眼說：「我又不會打，跟你們去，只會負累大家。」

我笑說：「但只你一人會說，有些時候，會說比會打有用。」

歐陽也笑說：「蕭兄弟有心拖你下水，似乎你也沒有其他選擇了。」

我笑說：「能夠說流俐鬼子話的，只怕一時三刻，沒法找人代替。另外，我想你弄一張假公文，就當是捉到四個少年罪犯，馬上要關進域多利監獄，安排在戴望舒的監房附近。」

我們再商議好其他細節，就準備兩天後行動。

最後，歐陽跟我說：「蕭兄弟，也該刮一刮鬍子了。」
我笑問：「少年罪犯不應該有鬍子嗎？」

歐陽說：「刮鬍子不是為了給日本鬼子看，是為了給兄弟們看。大家都相信你的領導，你自己也應該信自己。」

兩日後，老張和老王扮日本兵，押解著我、啞刀子、阿威和阿剛四個，在夜晚七時進入「域多利監獄」，另外阿劉他們五個兄弟就在外頭接應。

我們知道鬼子關卡多，會搜身，不敢把武器放在身上，武器都由老張老王兩人帶著。我們知道鬼子每天分三個時間接班，分別是早上七時、下午三時、晚上十一時，接班前後最多人，不宜行動。故此，選擇晚上七時行動，自己限時要在三個小時之內完成行動。

第十六章：一首詩都是英雄

有老張在，他的日語流利，又有公文，加上天色昏暗，很容易就賺門之入，只聽他們嘰嘰呱呱的說一輪，後來老張才告訴我，人家是問怎麼兩個兵押了四個犯人那麼多；老張就答：「東亞病夫，不礙事的，再多兩個也成。」

去到監裡頭，要找鎖匙開門和鎖著犯人的鐵鍊，就不得不殺兩個獄卒了。我先講兩句中文，見兩個獄卒沒有反應，老張用日文打招呼，他倆就答應了。我們肯定了這兩個是日本鬼子，便立刻出手了，老張和老王早有默契，把飛刀遞給我和啞刀子，我刀一到手，便和身撲進其中一個的懷中，他還以為我被老王推倒了，壓根兒不知道是怎麼一回事，就給我在喉頭劃了一刀，一聲不響便死了。

我剛把身子站直，便看見另一個獄卒喉頭插著啞刀子的飛刀，人未倒地就已經結了帳。阿威阿剛同樣有準備，已經跑上前抱住兩具屍體，恐防跌在地上會發出太大聲響，順道找出他倆身上掛著的鎖匙。

我首先找到戴望舒的監房，開始見到他頹廢地坐在床沿，雖然頭髮蓬鬆、一臉沮喪，但也看得出他本來是個頗為

俊朗的男子，他身上有些血污，明顯受過刑，一雙腿就更是血跡斑斑，尤其是被粗鐵鍊鎖著的腳背附近，皮肉都磨得翻了出來！

我連忙問道：「是戴先生嗎？我們是來救你的。」

哪知他卻說：「我的確是戴望舒，但你們無需要來救我，我沒打算出去。」

我呆了一呆，真的沒預算他會這樣反應，連忙說：「戴先生，你放心，我們不是來害你的，我們只是不值你被日本鬼子迫害，想帶你脫離險境。」

戴望舒卻說：「我不出去，這裡是監獄，出去了其實是更大的監獄，我留在這裡，反而可以令更多的中國人，看清楚日本人的殘暴。」

我心中急了，連忙說：「你看你傷成這樣了，再不出去，會死在這裡的。」

第十六章：一首詩都是英雄

戴望舒竟然吟起詩來：

「如果我死在這裡，朋友啊，不要悲傷，

我會永遠地生存，在你們的心上。」

我不懂，問道：「你說什麼？」

戴望舒伸手指一指牆壁，原來他一早寫了一首《獄中題壁》，表達他抗日的悲壯情懷。

我看見牆上這樣寫的：

「如果我死在這裏，朋友啊，不要悲傷，

我會永遠地生存，在你們的心上。

你們之中的一個死了，在日本佔領地的牢裏，

他懷著的深深仇恨，你們應該永遠的記憶。

當你們回來，從泥土，掘起他傷損的肢體，

用你們勝利的歡呼，把他的靈魂高高揚起，

然後把他的白骨放在山峰，曝著太陽，沐著飄風：

在那暗黑潮濕的土牢，這曾是他唯一的美夢。」

　　戴望舒慢慢的說：「你能夠來到這兒救我，的確是不容易的，你有這樣的本領，應該可以為國家再做多點事。我現在出去，又能夠做些什麼呢？我能夠做的，就是用我的命來成就這首詩。你們來到，也是一種緣份，就請你們把這首詩帶出去，希望能夠喚醒大家的仇恨，團結大家的力量，齊心抗日。」

　　我不知怎樣決定，總不能綁他出去嘛！

　　戴望舒見我猶豫不決，便再道：「年輕人，在這種大時代之中，每人有自己的位置，我的位置既然是要成為這個軍中的白骨，你就快點出去，把我的靈魂高高揚起，那才是你的位置。」

　　我看看牆上的詩，再看看戴望舒那副視死如歸的神情，我忽然懂了，每一個人都可以是英雄，但都要去找尋一種屬於自己的英雄之道。

　　戴望舒的英雄就是一首詩。

第十六章：一首詩都是英雄

我的英雄是怎樣的？我帶著這首詩出去，我知道我一定可以找得到的！**（註 16.1）**

可公開的情報

註 16.1：戴望舒是香港淪陷之後，遭遇最為悲壯的文化人。戴望舒未來香港之前，其實已經大有名氣。其後他去法國留學，回國後創辦《新詩》月刊。抗日初期，他逃到香港，曾經在《文匯報》及《星島日報》的副刊擔任主編。當時香港淪陷不久，日軍開始搜捕文化人，逼使他們與日本合作，對外宣傳「大東亞共榮圈」。有見及此，東江縱隊決定營救港九的文化人。

不過，戴望舒決定留守香港，與香港共存亡。當時，戴望舒一家人在一間舊書店看書，日本特務破門而入，抓走戴望舒，在域多利監獄足足關了接近兩個月。後來，他的朋友葉靈鳳買通日軍，才帶他出獄，他一直堅持留在香港宣傳抗日，直到 1948 年才離開香港。

本章描寫蕭七到獄中救戴望舒，當然純屬創作，不過，那種不怕犧牲，只求以詩喚醒國人抗日的精神，相信和他本人的真實經歷是互相呼應的。

許可

後記

「類史實」可以成為小說創作嗎？

　　所謂「類史實」的概念，其實就是在創作小說時，盡力保留歷史的原貌，展現歷史上的真實民生和當時的價值觀，同時兼顧小說的情節推進。我在今次的創作過程中，平衡虛和實之間的比重，盡量以不影響歷史準確性為原則，讓男主角穿插於幾項真實事件之間，希望讀者在享受情節之餘，亦可一睹歷史真貌！

　　《大營救1942》以日戰時期，香港淪陷前後的一段數月為背景，分五部份完成，我有點刻意地，逐漸由虛擬的情節，引入歷史的真實片段。不過，越寫到事實部分，難度越出乎預期，可以說是始料不及！

　　第一部份是完全虛構的人物和情節，寫日戰時期之前，一班小人物的爭權奪利。在那一個年代，香港華洋雜處新舊交替，新界偏遠山區有不少山賊土匪，主角的師父明白做賊也不容易，便想進入文明社會，當有錢人的保鏢，其

間觸發一段山寨間的恩怨，亦把男主角由比較原始的山寨生活，帶到城市裏來。

　　第二部分就用男主角的視覺，去看當時的社會民生，屬於半真半假的呈現。日本人的軍隊到了，英國人有什麼對策？英國軍人為什麼只能夠抵擋 18 天？這些觀察都有史料根據，由虛構的男主角去經歷大時代的矛盾。

　　到了第三部分，男主角的經歷是創作的，他與日本軍人的互動，協助遊擊隊營救中國文化人的任務，都是建基於歷史事件的一些留白空間。例如日本軍人在洛克道只住一晚是真的，留下皇軍告示是真的，男主角扮鬼嚇人卻是虛構的。又例如，東江縱隊約了蕭天來和黃慕容兩股山賊，在觀音廟談判，也的確有發生過，但男主角在談判前一個小時的劇情，卻是憑空創作。可以說是在真歷史之上加上創作的情形，加強個別事件之間的連貫性。

「類史實」可以成為小說創作嗎？

　　到了後來的第四、第五部份，就是全真實的歷史，創作的成份主要在於男主角對事件的有限度參與。於是，問題就出現了，怎樣平衡男主角的戲份，又不能影響營救事件的發展？我對自己的要求是：每一個歷史人物的行程和對白，都要完全符合史實的記載，難道男主角就此淪為旁觀者？故此，在第四部份，我安排男主角已經開通了大帽山西側的營救路線，所以他可以用一個領路人的身份，去參與營救茅盾和蔡楚生的兩個任務，連他所聽到的說話，也力求保持歷史的本來面目。亦由於這次參與，男主角自以為有偉大貢獻，產生了英雄主義的虛榮感。

　　第五部份「困城」一樣是全真實的歷史，自我膨脹的男主角，偶然碰上林展女士被日本人虐打的歷史事件，由於自己無力阻止，令他由高峯跌到谷底，自暴自棄。當他再參與劫獄，嘗試營救戴望舒，亦因為戴的拒絕被救，寧願犧牲自己安全，留在獄中以血肉控訴日本軍方的殘暴，啟發了男主角，對英雄的意義有另一種理解。

大家看過序章，相信也會同意，男主角一生跌宕起伏，經歷過香港的無數事件，他的一生，和香港的近代歷史有不可分割的關係，如果大家有耐心，老人家的故事其實另有一番趣味。

2017 年 夏

黃獎

作　　者：黃　獎
封面美術：Pen So
內文設計：Pen So

出　　版：今日出版有限公司
地　　址：香港 柴灣 康民街 2 號 康民工業中心 1408 室
電　　話：(852) 3105-0332
電　　郵：info@todaypublications.com.hk
網　　址：www.todaypublications.com.hk
Facebook 關鍵字：Today Publications 今日出版

發　　行：泛華發行代理有限公司
地　　址：香港 新界 將軍澳工業村 駿昌街 7 號 2 樓
電　　話：(852) 2798 2220
網　　址：www.gccd.com.hk
出版日期：2017 年 7 月

印　　刷：大一印刷有限公司
電　　郵：sales@elite.com.hk
網　　址：www.elite.com.hk

圖書分類：類史實 / 流行讀物 / 歷史
初版日期：2017 年 7 月
I S B N：978-988-77609-9-3
定　　價：港幣 78 元 / 新台幣 350 元

QR Code:
今日出版有限公司

QR Code:
Facebook 網址